Buíochas

Is mian liom mo bhuíochas a ghabháil leis na daoine seo a leanas a bhí ina gcrann taca agam agus mé ag scríobh an leabhair seo:
Paul, Oscar agus Conn Aiken a spreagann chun cócaireachta mé;
Mam, Dad, agus Rosie a thacaíonn liom de shíor;
Mo chlann agus mo chairde uilig, go háirithe na tuismitheoirí ó Bhunscoil Bheanna Boirche;
Pádraig Ó Snodaigh a bhí sásta an leabhar a chur i gcló;
Áine agus Eibhlín Nic Gearailt, Pól Mag Uidhir agus Edel Ní Chorráin a chuidigh liom an leabhar a thabhairt ó choincheap go cló.

Tá an leabhar tiomnaithe do Rang 7, 2011-2012,
Bunscoil Bheanna Boirche:
Caitlín Ferris, Adam (adamskí) Lenaghan, Aislinn McCabe,
Sarah McCabe, Ríoghnach McGuigan

Biddy Beadaí

"Bímis ag cócaireacht!"

Teochtaí d'fheanoigheann a thugtar sna hoidis uilig.
Níl salann ná piobar luaite sna liostaí comhábhar ach bíodh siad in aice láimhe i gcónaí.
Piobar dubh úrmheilte a úsáidim.

spbh = spúnóg bhoird
tsp = taespúnóg

Seo thíos an buntrealamh cistine a bheas de dhíth:

tráidire bácála (baking tray)
mias gratin (gratin dish)
stán bácála (baking tin)
leachtaitheoir (liquidiser)
páipéar cistine (kitchen paper)
greadtóir (whisk)
tuairgnín & moirtéar (pestle & mortar)
scannán cumhdaithe (clingfilm)

pota mór

crann fuinte

oigheann

tráidire sreinge

friochtán

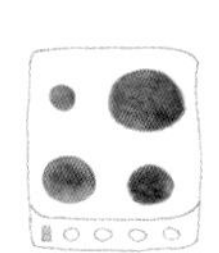

sorn

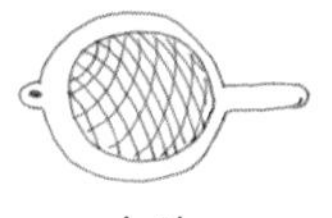

criathar

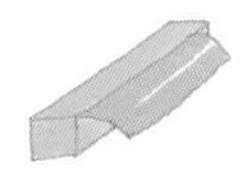

scragall alúmanaim

Gourmet Ní Ghadhra

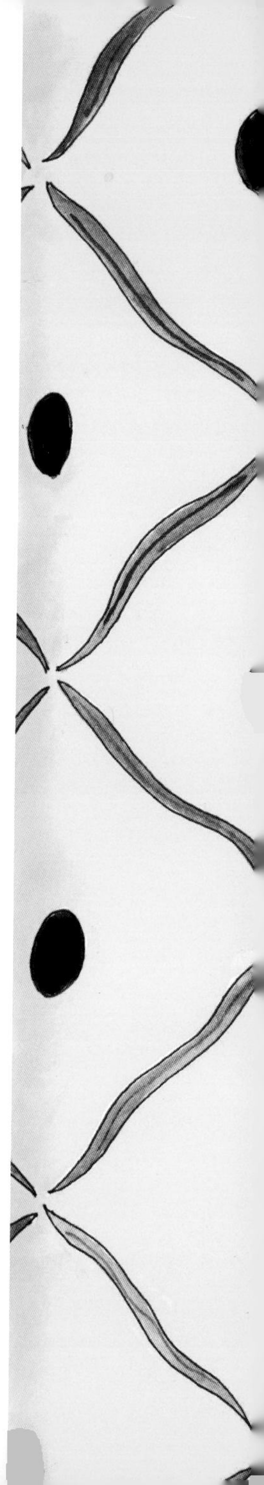

AGUACATE
POMES FUJI
3,99
KIWI
POMES
2'90
GRANADA
4'95
CIRUELA ROSADA
5'95
DATIL MEDJOUL
4.95 P.V.P

CÉAD CHÚRSAÍ

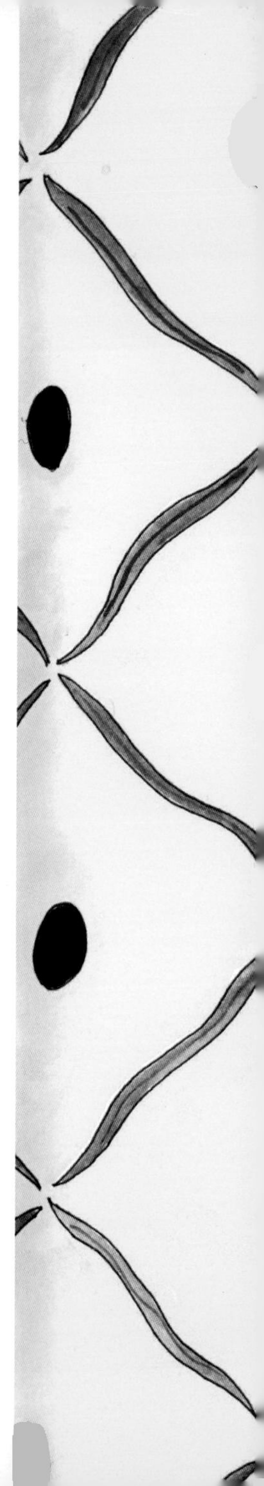

Figí agus Liamhás Parma

Díol beirte

fige

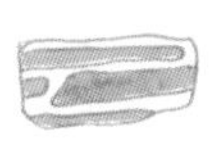
liamhás Parma

mozzarella

ola olóige

mil

líomóid

Comhábhair

figí x4
mozzarella (125g)
liamhás Parma (85g)
An blastán:
mil (tsp x2)
ola olóige (spbh x4)
sú líomóide (spbh x2)

Modh

Ullmhaigh an blastán ar dtús:
Cuir na comhábhair uilig isteach i bpróca le clár (próca suibhe glan, mar shampla). Cuir an clár ar an phróca agus croith é go mbeidh gach rud measctha go maith.
Blais é agus cuir salann agus piobar leis de réir do chomhairle féin.

Gearr na figí ina gceathrúna ach ná gearr go bun iad.
Spréigh amach iad mar atá sa phictiúr agus figh an liamhás Parma isteach agus amach idir na figí.

Bris an mozzarella ina píosaí (tuairim is 2cm x 2cm) agus cuir ar bharr na bhfigí iad.
Doirt an blastán anuas ar an iomlán.

Gluais

ullmhaigh: prepare
blastán: dressing
próca suibhe glan: a clean jam-jar
croith: shake
blais: taste
de réir do chomhairle féin: to your liking
ceathrúna: quarters
spréigh: spread
figh: weave
doirt: pour

Is féidir feta nó cáis ghabhair a úsáid in áit mozzarella más mian leat.

Meacain Bhána le Chorizo

Díol ceathrair nó seisir

meacan bán

parmasán

ola olóige

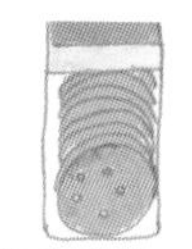

slisíní chorizo

Comhábhair

slisíní chorizo (180g)
meacan bán x4
parmasán (10g)
braonta ola strufail
ola olóige

Modh

Gearr na meacain bhána ina gcipíní fada tanaí, cuir ar thráidire oighinn iad agus cuir braonta ola olóige orthu.
Cuir san oigheann @180°C iad go dtí go mbeidh siad rósta briosc – tógfaidh seo thart fá 45 nóiméad.

Cuir na slisíní chorizo ar thráidire oighinn agus cuir san oigheann iad ar feadh 10 nóiméad go mbeidh siad rósta.

Cuir na meacain bhána agus an chorizo ar phláta mór.
Grátáil parmasán orthu agus spréigh le braonta ola strufail iad.

Gluais

gearr: cut
cipiní fada tanaí: long thin sticks
briosc: crispy
grátáil: grate
ola strufail: truffle oil
is fusa: it is easier

Is fusa é seo a ithe le do lámha – fill an chorizo ar na meacain bhána agus ith leat!

Piobair Rósta

Díol ceathrair

piobar dearg

tráta

canna ainseabhaithe

ionga gairleoige

ola olóige

duilleoga basal

Comhábhair

canna ainseabhaithe (50g)
ionga gairleoige x1
tráta x3
piobar dearg x2
ola olóige (spbh x4)
duilleog basal x8

Modh

Gearr na piobair ina 2 leath.
Cuir na trátaí i mbabhla d'uisce bruite ar feadh nóiméad amháin, tóg amach iad agus bain an craiceann díobh. Gearr ina 4 phíosa iad agus brúigh 3 phíosa isteach in achan leath-phiobar.

Gearr na hainseabhaithe ina bpíosaí le siosúr (dhá ainseabhaí d'achan leath-phiobar) agus cuir isteach iad.
Gearr sliseoga den ghairleoig agus cuir 3 cinn isteach i ngach leath-phiobar.

Spréigh piobar dubh orthu – ní gá salann a úsáid mar go bhfuil na hainseabhaithe saillte.
Cuir spúnóg bhoird ola olóige isteach i ngach leath-phiobar.

Cuir ar thráidire bácála san oigheann ar feadh 45 nóiméad iad @180˚C.
Agus iad tagtha amach as an oigheann agus réidh le hithe, cóirigh le duilleoga basal iad.

Gluais

2 leath: 2 halves
babhla d'uisce bruite: a bowl of boiling water
gearr: cut
le siosúr: with scissors
spréigh: sprinkle
cóirigh: garnish

Tá baguette an-deas leis seo.
Is féidir piobair atá dearg, buí nó oráiste a úsáid; ná húsáid na piobair ghlasa – níl siad milis go leor.

Ribí Róibéis faoi Fhuidreamh

Díol ceathrair

ribe róibéis

ubh

plúr

líomóid

lágar

Comhábhair

plúr (135g)
salann (½ tsp)
ubh x1
lágar (150ml)
ribí róibéis (nó cloicheáin) (350g)
piobar Chéin (½ tsp)
ola éadrom (ola ráibe nó ola phis talún m.sh.)
líomóid x1
uisce te (spbh x1)

Gluais

criathraigh: sieve
log: hollow
greadtóir: whisk
fuidreamh: batter
uachtar: cream
piobar Chéin: Cayenne pepper
domhainfhriochtóir: deep fat fryer
buíocán: yolk
gealacán: white of egg
páipéar cistine: kitchen paper

Modh

Criathraigh an salann agus an plúr isteach i mbabhla measartha mór. Déan an gealacán agus an buíocán a scaradh.
Déan log sa phlúr agus doirt an buíocán agus an bheoir isteach sa log. Cuir spúnóg uisce the leis agus tú ag meascadh le greadtóir i rith an ama go dtí go mbeidh an fuidreamh mín agus cuma uachtair dhúbailte air.

Cuir na ribí róibéis/na cloicheáin isteach san fhuidreamh agus cuir isteach an piobar Chéin chomh maith. Fág an cumasc i leataobh go mbeidh tú réidh lena chur isteach san ola chócaireachta.
Cuir 2–3cm d'ola éadrom sa fhriochtán agus cuir teas faoi – is féidir domhainfhriochtóir a úsáid má tá ceann agat.
Buail an gealacán uibhe go dtí go mbeidh sé measartha righin. Ansin fill agus cas isteach tríd an fhuidreamh é.

Cuir lán spúnóige fuidrimh ina bhfuil ribe róibéis/cloicheán sa fhriochtán. Lean ort fad agus atá spás sa fhriochtán. Tiontaigh iad. Nuair a bheas siad donn ar gach aon taobh, bain amach agus triomaigh ar pháipéar cistine iad agus cuir ar phláta ar a bhfuil ceathrú líomóide.

Pâté Ae Sicín (Oideas Dheirdre Uí Fhlanagáin)

Díol ceathrair nó seisir

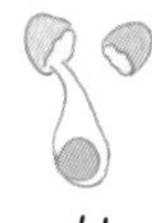

ubh

uachtar

ionga gairleoige

duilleog labhrais

Comhábhair

ae sicín (270g)
ionga gairleoige x1
ubh x1
uachtar (spbh x3)
duilleog labhrais x3

Modh

Cuir na duilleoga labhrais i mbabhla gréiscthe atá measartha beag agus oigheann-díonach.
Déan an ghairleog, an t-ae agus an ubh a leachtú go mbeidh cumasc mín ann.
Cuir an t-uachtar, salann agus piobar leis an chumasc agus measc le spúnóg mhór é.

Doirt an cumasc isteach sa bhabhla ghréiscthe agus clúdaigh le scragall alúmanaim é.
Cuir an babhla ina shuí i gcasaról agus doirt isteach galuisce sa chasaról go dtí go mbeidh leibhéal an uisce leath bealaigh suas taobh an bhabhla.
Cuir an casaról san oigheann agus coinnigh an t-uisce ag suanbhruith ar feadh uair go leith @160˚C.

Ina dhiaidh sin, tóg amach as an oigheann é agus fág an babhla paté ina shuí go mbeidh sé fuaraithe.
Ansin, cuir isteach sa chuisneoir é agus fág ann é go ceann trí lá sula mbainfidh tú triail as.

Gluais

ae: liver
duilleog labhrais: bay leaf
gréiscthe: greased
oigheann-díonach: ovenproof

Más mian leat an pâté a stóráil, cuir isteach i bprócaí steirilithe nó i raimicíní steirilithe é sula gcuirfidh tú san oigheann é agus ar theacht amach as an oigheann dó, cuir im gléghlanta ar bharr an pâté agus clár ar na prócaí.

Sailéad Siocaire le Piorraí

Díol ceathrair

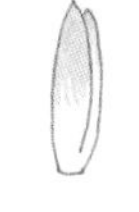

siocaire

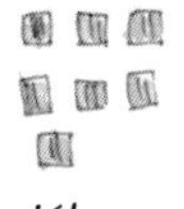

ciúbanna pancetta

cáis ghorm

piorra

ola olóige

Comhábhair

siocaire x2
ciúbanna pancetta (100g)
cáis ghorm (150g)
piorra x2
ola olóige (braon beag)
Fínéigréad:
mustard Dijon (lán taespúnóige x1)
fínéagar fíon dearg (spbh x2)
ola olóige (spbh x4)

Gluais

fínéagar fíon dearg: red wine vinegar
ullmhaigh: prepare
ag fuarú: cooling
measc: mix
i rith an ama: continuously
blais é: taste it
measartha ramhar: quite thick
uisciúil: watery
ceathrú(na): quarter(s)
síolta: seeds
doirt: pour

Modh

Cuir braon ola sa fhriochtán agus déan na ciúbanna pancetta a chócaráil ann go mbeidh siad briosc.
Ullmhaigh an fínéigréad le linn don pancetta bheith ag fuarú.

Fínéigréad:
Cuir mustard Dijon isteach i mbabhla beag mar aon leis an fhínéagar fíon dearg agus measc le chéile iad. Cuir ola olóige isteach de réir a chéile agus tú ag meascadh i rith an ama.
Cuir salann agus piobar ann.
Blais é agus cuir níos mó ola nó fínéagair leis ag brath ar an bhlas.
Ba cheart an fínéigréad a bheith measartha ramhar – ná déan uisciúil é.

Roinn na duilleoga siocaire ar 4 phláta.
Gearr an cháis ina cearnóga beaga agus scaip ar bharr an tsiocaire í mar aon leis na ciúbanna pancetta.
Déan ceathrúna de na piorraí, bain amach na síolta agus gearr ina slisíní measartha tanaí iad. Roinn ar na 4 phláta iad.
Agus tú réidh le suí chun boird, doirt an fínéigréad anuas ar an sailéad go cúramach.

St Agur an cháis ghorm is fearr liomsa!
Is féidir gallchnónna agus croutons a chur isteach fosta.

Anraith Lintilí

Díol seisir

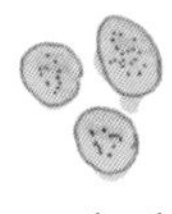

lintilí glasa | *francfurtair* | *stoc-chiúb sicín* | *meacan dearg* | *cainneann* | *prátaí*

Comhábhair

cainneann x1
meacan dearg x2
oinniún x 1
práta x2
peirsil
lintilí glasa (200g)
paicéad francfurtar (100g)
oragán tirim (tsp)
peperoncino (¼tsp)
im (cúpla daba)
stoc-chiúb sicín

Gluais

nigh: wash
gearr; cut
leáigh: melt
clúdaigh: cover
clár: lid
lena chinntiú: to ensure
ag greamú: sticking
ag gail: boiling
suanbhruith: simmer
leachtaitheoir: liquidizer
ramhrú: thicken

Modh

Nigh na glasraí agus gearr ina gciúbanna beaga iad.
Cuir cúpla daba ime isteach sa phota ag meánteas agus leáigh é.
Cuir na glasraí agus na lintilí nite isteach, ísligh an teas agus clúdaigh an pota le clár go ceann 5 nóiméad.
Bain an clár den phota ó am go chéile agus measc na glasraí lena chinntiú nach mbíonn siad ag greamú den phota.
Cuir isteach piobar, oragán agus peperoncino.
Measc stoc-chiúb sicín le 600ml d'uisce te agus clúdaigh na glasraí leis an stoc. Cuir uisce leis más gá.

Cuir an clár ar an phota agus nuair a thosóidh an t-anraith ag gail, ísligh an teas agus lig dó suanbhruith go híseal ar feadh 20 nóiméad.

Bain úsáid as leachtaitheoir leis an anraith a ramhrú ach ná leachtaigh go hiomlán é – fág píosaí beaga glasraí ann.
Gearr na francfurtair ina slisíní 1cm agus cuir isteach iad.
Fág an t-anraith ar an teas go ceann 10 nóiméad eile.

Is féidir é seo a dhéanamh do veigeatóirí ach stoc glasraí a úsáid agus na francfurtair a fhágáil ar lár.

Anraith Meacan Bán & Curaí

Díol ceathrair

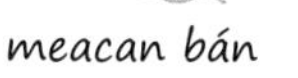

meacan bán

púdar curaí madras

stoc sicín nó glasraí

oinniún

im

Comhábhair

meacan bán x4
oinniún x1
stoc sicín nó glasraí (1.5 lítear)
púdar curaí madras (tsp x2)
im (25g)

Modh

Déan na meacain bhána agus an t-oinniún a mhionghearradh.
Leáigh an t-im i bpota mór agus cuir isteach na glasraí. Ísligh an teas agus cuir clár ar an phota ar feadh 10 nóiméad nó mar sin.
Cuir an púdar curaí isteach agus déan gach rud a shuaitheadh go maith.
Cuir isteach an stoc agus lig don anraith téamh go mbeidh sé ar gail. Ansin ísligh an teas agus lig dó suanbhruith ar feadh 30 nóiméad.
Leachtaigh an t-anraith.
Blais é agus cuir salann agus piobar leis más gá.

Gluais

leáigh: melt
ísligh: reduce/lower
teas: heat
clár: a lid
púdar curaí: curry powder
téamh: heat up
ar gail: boiling
suanbhruith: simmer
leachtaigh: liquidise
blais é: taste it

Anraith Chorizo agus Pónairí

Díol ceathrair

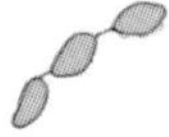
chorizo

pónairí cannelloni

canna trátaí

ionga gairleoige

oinniún

stoc sicín nó glasraí

Comhábhair

chorizo (100g)
canna pónairí cannelloni (200g)
ionga gairleoige x1
oinniún x1
canna trátaí (200g)
stoc sicín nó glasraí (1.5 lítear)
oragán (½ tsp)
braon ola olóige

Modh

Mionghearr an chorizo, an ghairleog agus an t-oinniún.
Cuir braon ola i bpota mór agus cuir an chorizo, an t-oinniún agus an ghairleog isteach. Measc le chéile iad.
Lig dóibh cócaráil ar feadh cúpla nóiméad.

Cuir isteach an canna pónairí, na trátaí agus an t-oragán agus tabhair suaitheadh maith don iomlán.
Cuir an stoc leis agus lig don anraith téamh go mbeidh sé ar gail.
Ísligh an teas agus lig dó suanbhruith ar feadh 30 nóiméad.
Blais é agus cuir piobar leis más gá.

Gluais

mionghearr: finely chop
measc: mix
suaitheadh maith: a good stir
ísligh: reduce/lower
suanbhruith: simmer
blais é: taste it

Ná cuir salann isteach go mbeidh tú réidh lena ithe nó tig le salann na pónairí a dhéanamh righin má chuirtear isteach go róluath é!

Anraith Glas

Díol ceathrair

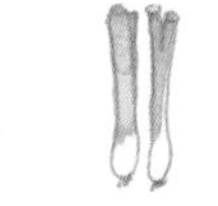

cainneann

oinniún

brocailí

im

stoc sicín nó glasraí

Comhábhair

cainneann x4
brocailí x2
oinniún x1
gráinnín noitmige
stoc sicín nó glasraí
(1.5 lítear)
im (25g)

Modh

Déan na cainneanna, an brocailí agus an t-oinniún a mhionghearradh.
Leáigh an t-im i bpota mór agus cuir isteach na glasraí. Ísligh an teas agus cuir clár ar an phota ar feadh 10 nóiméad nó mar sin.
Cuir isteach an noitmig agus measc leat.
Cuir an stoc leis agus lig don anraith téamh go mbeidh sé ar gail.
Ansin ísligh an teas agus lig dó suanbhruith ar feadh 30 nóiméad.
Blais é agus cuir salann agus piobar leis.

Gluais

leáigh: melt
ísligh: reduce/lower
clár: lid
measc: mix
téamh: heat up
ar gail: boiling
suanbhruith: simmer
braon uachtair: a drop of cream

Dáil an t-anraith ar 4 bhabhla agus má mheasann tú dath róghlas a bheith air, doirt braon uachtair anuas ar gach babhla acu.

Anraith Muisiriún

Díol ceathrair

muisiriún

seiris thirim

im

plúr bán

stoc sicín

duilleoga labhrais

Comhábhair

muisiriúin (800g)
plúr bán (spbh x1–2)
stoc sicín (1.5 lítear)
oinniún x1
ionga gairleoige x1
duilleog labhrais x2
peirsil mhionghearrtha (dornán)
im (25g)
seiris thirim (spbh x1)

Gluais

peirsil mhionghearrtha: finely chopped parsley
leáigh: melt
cumasc: mixture
de réir a chéile: gradually
déan an t-anraith a bhlaistiú: season the soup
ar gail: boiling
suanbhruith: simmer
bain amach: take out
leachtaitheoir: liquidiser
a chóiriú: garnish
seiris: sherry
gliú: glue

Modh

Leáigh an t-im i bpota.
Mionghearr na muisiriúin, an t-oinniún agus an ghairleog agus cuir isteach san im iad.

I ndiaidh 5 nóiméad nó mar sin, cuir isteach an plúr agus measc gach rud go mbeidh an cumasc mar a bheadh gliú ann (roux).
Cuir isteach an tseiris ar dtús agus ansin an stoc de réir a chéile.
Déan an t-anraith a bhlaistiú le salann, piobar, na duilleoga labhrais agus an pheirsil.

Ardaigh an teas faoin phota. Nuair a bheas sé ar gail, ísligh an teas agus lig dó suanbhruith ar feadh 30 nóiméad.
Bain amach na duilleoga labhrais. Bain úsáid as leachtaitheoir chun an t-anraith a leachtú.

Is féidir an t-anraith a chóiriú ach níos mó peirsile mionghearrtha a chur ar a bharr agus braon beag uachtair nó bainne a chur leis fosta – ní bhacaim de ghnáth.

SAILÉID AGUS BÉILTE BEAGA

Sailéad Caesar

Díol beirte

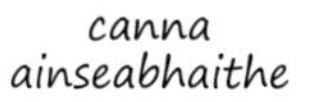
canna ainseabhaithe

buíocán uibhe

sú líoma

parmasán

ola olóige

cósleitís

Comhábhair

cósleitís x1
canna ainseabhaithe x1
An blastán:
buíocán uibhe x1
anlann Worcestershire (tsp x1)
ola olóige (spbh x2)
sú líoma (spbh x2)
púdar mustaird (tsp x1)
parmasán grátáilte (tsp x2)
ionga gairleoige mhionghearrtha x1
sliseoga parmasáin

Gluais

buíocán: yolk
ina bpíosaí beaga: into little pieces
ag meascadh: mixing
i rith an ama: continuously
blais é: taste it
más gá: if necessary
saillte: salted
scaip: scatter
sliseoga: shavings
sicín rósta: roast chicken

Modh

An blastán:
Cuir an púdar mustaird, anlann Worcestershire agus an buíocán uibhe i mbabhla beag.
Measc go maith iad le forc agus cuir isteach an sú líoma.
Gearr dhá ainseabhaí ina bpíosaí beaga le siosúr agus cuir isteach iad mar aon leis an ghairleog mhionghearrtha. Doirt isteach an ola ón channa ainseabhaithe de réir a chéile agus tú ag meascadh na gcomhábhar i rith an ama.
Blais é agus cuir tuilleadh ola olóige isteach más gá.
Ba cheart an cumasc a bheith measartha ramhar.
Cuir taespúnóg de pharmasán grátáilte agus piobar isteach chomh maith.
Ní bheidh salann de dhíth mar go mbíonn na hainseabhaithe saillte.

Cuir leitís ar phlátaí (x2), gearr na hainseabhaithe atá fágtha sa channa agus scaip ar an leitís iad.
Doirt an blastán go cúramach ar na comhábhair uilig. Scaip croutons, parmasán grátáilte nó sliseoga parmasáin ar an bharr.

Tá baguette deas leis seo.
Is féidir píosaí fuara sicín rósta a chur ar an leitís chomh maith más maith leat.
Amharc leathanach 33 maidir le croutons.

Sailéad Cáis Ghabhair

Díol ceathrair

leitís

cáis ghabhair

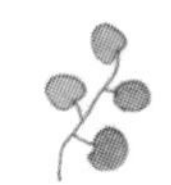

trátaí silín

fínéagar fíon geal

ola olóige

mustard Dijon

Comhábhair

cáis ghabhair (120g x2)
leitís (meascán de dhuilleoga éagsúla)
slisín baguette x4
tráta silín x20
ola olóige
Fínéigréad:
mustard Dijon (lán taespúnóige x1)
fínéagar fíon geal (spbh x2)
ola olóige (spbh x4)

Gluais

ina dhá ciorcal: into two circles
ag leá: melting
measc: mix
blais é: taste it
measartha ramhar: quite thick
uisciúil: watery

Modh

Gearr gach cáis ina dhá ciorcal. Cuir an cháis ar na slisíní baguette. Cuir an t-arán ar thráidire bácála.
Doirt braon ola olóige ar bharr na cáise agus cuir an tráidire san oigheann @180˚C ar feadh 10 nóiméad go mbeidh an cháis ag leá.

Ullmhaigh an fínéigréad:
Cuir mustard Dijon isteach i mbabhla beag agus an fínéagar fíon geal leis agus measc le chéile iad. Doirt ola olóige isteach de réir a chéile agus tú ag meascadh i rith an ama. Cuir salann agus piobar leis.
Blais é agus cuir níos mó ola nó fínéagair isteach ag brath ar an bhlas. Ba cheart an fínéigréad a bheith measartha ramhar – ná déan uisciúil é.

Cuir an leitís agus na trátaí ar na plátaí, socraigh an cháis go deas ar an leitís agus croith an fínéigréad ar an cháis agus ar an leitís.

Sailéad Niçoise

Díol beirte

trátaí silín

leitís

canna ainseabhaithe

canna tuinnín

piobar dearg

scailliún

ológa

Comhábhair

leitís x1
tráta silín x18
ológ dhubh x18
piobar dearg x1
ubh chruabhruite x3
canna ainseabhaithe x1
canna tuinnín (60g) x1
scailliún x2
práta úr bruite x3
Fínéigréad:
mustard Dijon (tsp x1)
fínéagar fíon geal
(spbh x2)
ionga gairleoige x1
ola olóige (spbh x4)

Gluais

de réir a chéile: gradually
ag meascadh: mixing
mar aon le: along with
ag brath ar an bhlas:
depending on the taste
measartha ramhar: quite thick
uisciúil: watery
ina gceathrúna: in quarters
scaip: scatter
doirt: pour

Modh

Cuir na prátaí agus na huibheacha ag bruith roimh ré ionas go mbeidh siad fuar in am.
An fínéigréad:
Cuir mustard Dijon isteach i mbabhla beag agus an fínéagar fíon geal leis agus measc le chéile iad. Doirt isteach ola olóige de réir a chéile agus tú ag meascadh i rith an ama.
Cuir ionga gairleoige mhionghearrtha isteach mar aon le salann agus piobar.
Blais é agus cuir níos mó ola nó fínéagair isteach ag brath ar an bhlas.
Ba cheart an fínéigréad a bheith measartha ramhar – ná déan uisciúil é.

Cuir an leitís ar na plátaí, gearr na prátaí ina gciúbanna agus socraigh sa lár ar na plátaí iad. Cuir an tuinnín ar na prátaí agus na hainseabhaithe ar a mbarr. Gearr na huibheacha ina gceathrúna agus cuir 6 phíosa thart ar imeall gach pláta; cuir trátaí agus piobar dearg thart ar imeall an phláta fosta. Gearr agus cuir na scailliúin ar bharr an tuinnín agus na n-ainseabhaithe agus ina dhiaidh sin, scaip na hológa ar an iomlán.
Ansin, doirt an fínéigréad go cúramach ar bharr na gcomhábhar uilig.

Sailéad Te Chorizo & Uibheacha Scallta

Díol beirte

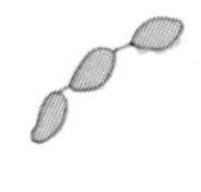

ubh

leitís

oinniún

ola olóige

fíon dearg

fínéagar fíon dearg

Comhábhair

leitís x1
chorizo (200g)
ubh x4
oinniún x1
fínéagar fíon dearg (50ml)
fíon dearg (50ml)
ola olóige
(spbh x1)
Croutons:
slisín aráin x2
salann gairleoige
paiprice
ola olóige

Gluais

gearr ina shlisíní: cut into slices
dar tiús 1cm: 1cm thick
cearnóga: squares
spréigh: spread
coinnigh an teas ard: maintain a high heat
an leacht: the liquid
laghdaithe: reduced
níos raimhre: thicker
scall: poach
doirt: pour

Modh

Cuir spúnóg bhoird ola olóige sa fhriochtán agus cuir teas faoi.
Mionghearr an t-oinniún agus cuir sa fhriochtán é.
Gearr an chorizo ina shlisíní dar tiús 1cm agus cuir sa fhriochtán iad.

Ullmhaigh na croutons:
Gearr an t-arán ina chearnóga 1cm agus spréigh na cearnóga amach ar thráidire bácála.
Cuir paiprice, salann gairleoige agus braonta ola olóige ar an arán.
Cuir an tráidire san oigheann @180˚C ar feadh 10 nóiméad.

Cuir an fínéagar agus an fíon isteach sa fhriochtán. Coinnigh an teas ard go dtí go mbeidh an leacht laghdaithe agus níos raimhre.
Cuir síos uisce i sáspan, bain gail as agus scall na huibheacha go mbeidh siad bog.

Cuir leitís ar phláta, spréigh an chorizo agus an t-oinniún ar an leitís, cuir na huibheacha i lár an phláta agus doirt an leacht ón fhriochtán ar an iomlán.
Scaip na croutons ar an bharr.

Ná déan dearmad ar na croutons agus iad san oigheann!

Pissaladière

Díol ceathrair nó seisir

taosrán

canna ainseabhaithe

oinniún

ológa

ola olóige

Comhábhair

taosrán (puth-thaosrán nó taosrán crústa briosc) réamhdhéanta (230g)
canna ainseabhaithe (50g)
oinniún x2
ológ dhubh x12
ola olóige (braon)
ionga gairleoige x1
plúr bán
ubh x1

Gluais

bruith: cook
bog: soft
dronuilleog: rectangle
scian ghéar: a sharp knife
imeall: edge
muileata: diamond
ubh bhuailte: egg wash

Modh

Mionghearr na hoinniúin agus an ghairleog, cuir ola olóige sa fhriochtán agus bruith na hoinniúin mar aon leis an ghairleog go dtí go mbeidh siad bog.

Roll amach an taosrán ina dhronuilleog.
Cuir plúr ar thráidire oighinn agus cuir an taosrán ar an tráidire.
Le scian ghéar, gearr líne éadrom sa taosrán, 1cm isteach ón imeall, an bealach uilig thart, mar a bheadh fráma pictiúir ann. (Ná gearr tríd go bun.)

Clúdaigh an dronuilleog ar an taobh istigh den líne leis an chumasc oinniún agus gairleoige.
Leag na hainseabhaithe amach ar a bharr i gcruth muileataí agus cuir ológ dhubh i lár gach muileata.
Scuab an fráma 1cm go héadrom le hubh bhuailte.
Cuir san oigheann ar feadh 25 nóiméad @180˚C é.

Tá sé deas fuar nó te le sailéad.

Quiche Lorraine

Díol ceathrair

taosrán

bagún deataithe

ubh

uachtar dúbailte

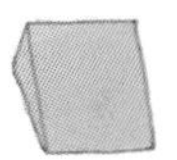
céadar

Comhábhair

taosrán crústa briosc (340g)
ubh x2
uachtar dúbailte nó crème fraîche (240–290ml)
oinniún mionghearrtha x1
bagún deataithe (120g)
ola olóige (spbh x1)
céadar grátáilte

Gluais

taosrán crústa briosc: shortcrust pastry
cuisneoir: fridge
déan poill ann: make holes
pónairí bácála: baking beans
triomú: dry
fuarú: cool
páipéar cistine: kitchen paper
doirt: pour
dhá thrian: two thirds
go cúramach: carefully
clúdaigh: cover

Modh

Roll an taosrán amach agus líneáil stán bácála leis. Cuir sa chuisneoir ar feadh 30 nóiméad é, bain amach agus déan poill ann le forc. Cuir scragall alúmanaim nó páipéar gréiscdhíonach sa stán, líon le pónairí bácála é agus cuir san oigheann ar feadh 10 nóiméad @200˚C é.
Bain amach na pónairí bácála agus an scragall/páipéar agus cuir an taosrán ar ais san oigheann ar feadh 5 nóiméad lena thriomú. Ansin lig dó fuarú.

Cuir ola olóige sa fhriochtán agus téigh é. Cuir isteach na hoinniúin agus an bagún agus nuair a bheas siad cócaráilte go deas, bain amach agus cuir ar phláta iad ar bharr píosa páipéar cistine. Measc na huibheacha agus an t-uachtar le chéile agus cuir isteach salann agus piobar.

Agus an taosrán fuar nó measartha fuar, cuir an bagún agus na hoinniúin leis an uachtar uibheacha agus measc tríd iad. Cuir an stán bácála ar thráidire bácála agus doirt isteach dhá thrian den chumasc sa stán bácála. Cuir san oigheann é agus doirt an chuid eile den chumasc isteach go cúramach. Clúdaigh an barr le céadar grátáilte agus fág san oigheann @180˚C ar feadh 35–40 nóiméad é.

Toirtín Trátaí agus Gruyère

Díol ceathrair nó seisir

trátaí

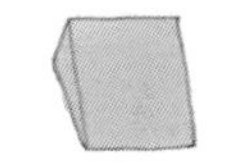

cáis Gruyère

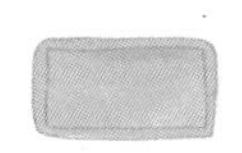

puth-thaosrán

duilleoga basal

mustard Dijon

Comhábhair

puth-thaosrán (320g)
trátaí (120g)
cáis Gruyère (120g
gearrtha ina slisíní 3mm
ar tiús)
mustard Dijon
(tsp mhór x1)
ola olóige (braon beag)
ubh x1
duilleog basal x6

Gluais

losaid phlúrtha: a floured board
dronuilleog: rectangle
scian ghéar: a sharp knife
imeall: edge
clúdaigh: cover
scuab: brush
ubh bhuailte: egg wash
mar chéad chúrsa: as a starter

Modh

Roll amach an taosrán ar losaid phlúrtha go mbeidh sé ina dhronuilleog.
Cuir ar thráidire bácála atá clúdaithe le plúr é.
Le scian ghéar, gearr líne éadrom sa taosrán, 1.5cm isteach ón imeall, an bealach uilig thart, mar a bheadh fráma pictiúir ann. (Ná gearr tríd go bun.)

Clúdaigh an dronuilleog atá taobh istigh den 'fhráma' le slisíní Gruyère.
Spréigh an mustard anuas ar an cháis.
Déan na trátaí a ghearradh ina slisíní agus cuir ar bharr an mhustaird iad.
Scuab an t-imeall 1.5cm go héadrom le hubh bhuailte.

Cuir san oigheann @180°C ar feadh 25 nóiméad é.
Tig leat duilleog úr basal a chur ar bharr gach tráta lena mhaisiú.
Tá sé deas te nó fuar le sailéad.

In áit toirtín mór amháin, is féidir 8 dtoirtín bheaga a dhéanamh as na comhábhair thuas mar chéad chúrsa.

Pióg ón Mheánmhuir

Díol seisir

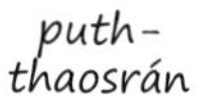

puth-thaosrán *ubhthoradh* *cúirséad* *mozzarella* *piobar dearg* *piobar buí* *duilleoga basal*

Comhábhair

puth-thaosrán (320g)
ubhthoradh rósta x2
cúirséad rósta x3
piobar dearg rósta x6
piobar buí rósta x6
mozzarella (225g)
Anlann basal:
ionga gairleoige x4
ológa dubha gan chlocha (110g)
duilleoga basal (50g)
ola olóige

Modh

Déan na glasraí a ní agus a ghearradh ina bpíosaí. Cuir ar thráidire éadomhain iad, croith braonta ola olóige, salann agus piobar orthu agus cuir isteach san oigheann iad ar feadh 25 nóiméad @180°C.
Anlann basal:
Mionghearr an ghairleog, na hológa agus an basal. Déan iad a bhlaistiú le salann agus piobar. Measc isteach ola olóige go mall go dtí go mbeidh cumasc measartha ramhar ann.
Ná cuir barraíocht ola olóige isteach!
Roll amach an taosrán agus ansin, déan an taobh istigh de stán inscaoilte 10cm a líneáil leis. Ná gearr an taosrán breise d'imeall an stáin – beidh sé ina chlúdach ar an phióg.
Leath anlann basal ar an chuid sin den taosrán a chlúdaíonn bun an stáin agus ansin cuir isteach na comhábhair eile ina sraitheanna: ubhthoradh ar dtús, ansin na piobair dhearga, mozzarella, cúirséid, piobair bhuí, anlann basal; ubhthoradh srl.
Clúdaigh an barr leis an taosrán breise agus scuab go héadrom le hubh bhuailte é. Déan an phióg a bhácáil san oigheann ar feadh 40 nóiméad @180°C.
Ina dhiaidh sin, tóg an stán amach as an oigheann, cuir pláta ar a bharr agus brúigh síos air. Fág cúpla canna (cannaí trátaí/anraith, m.sh.) mar mheáchain ina suí ar an phláta le linn don phióg bheith ag fuarú. Agus an phióg fuar, iompaigh amach ar phláta í, gearr í agus déan í a riar le sailéad.

Is féidir sraith de shicín nó de bhagún/liamhás a chur isteach chomh maith.

Gluais

puth-thaosrán: puff pastry
measartha ramhar: quite thick
barraíocht: too much
stán inscaoilte: springform tin
ná gearr: don't cut
taosrán breise: surplus pastry
clúdach: a cover
leath: spread
bun: base
sraith(eanna): layer(s)
scuab: brush
ubh bhuailte: egg wash

Quiche Spionáiste & Mónóg

Díol seisir (6 phióg)

duilleoga spionáiste

mónóga úra

cáis St. Agur

crème fraîche

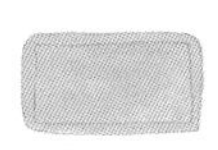

taosrán filo

Comhábhair

taosrán filo (leathán x6)
im leáite (10g)
duilleoga spionáiste (700g)
cáis St. Agur (150g)
mónóga úra (50g)
ubh x2
buíocán uibhe x3
crème fraîche (spbh x4)
noitmig ghrátáilte (pinsín éadrom)

Modh

Beidh stán muifíní ina bhfuil 6 log de dhíth ort don oideas seo.
Déan 4 chuid de gach píosa taosráin (beidh 24 píosa ar fad agat).
Cuir 4 shraith taosráin atá scuabtha go héadrom le him leáite i ngach log sa stán muifíní.
Lig don taosrán breise titim thar imeall an stáin agus scuab go héadrom le him leáite chomh maith é.

Measc an spionáiste, an cháis ghorm agus na mónóga.
Cuir salann agus piobar leo.
Ansin roinn an cumasc ar na sé log taosráin sa stán.
Déan an dá ubh, na trí bhuíocán uibhe, an crème fraîche agus an noitmig a mheascadh le chéile le greadtóir.
Doirt an cumasc sin ar bharr an spionáiste, na cáise goirme agus na mónóg.
Cuir an stán san oigheann ar feadh 20–25 nóiméad @180°C.

Gluais

mónóga: cranberries
im leáite: melted butter
pinsín: a little pinch
scuabtha: brushed
lig (do): let
taosrán breise: surplus pastry
measc: mix
doirt: pour
triomaithe: dried

Más feoiliteoir amach is amach thú, is féidir bagún deataithe briosc a chur ar bharr na bpióg! Is féidir mónóga triomaithe a úsáid fosta.

Caponata

Díol ceathrair

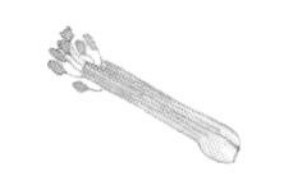
soilire

ubhthoradh

caprais

oinniún

fínéagar fíon dearg

ológa

gairleog

Comhábhair

ubhthoradh x2
ionga gairleoige x2
oióg ghlas x12
fínéagar fíon dearg (spbh x2)
peirsil mhionghearrtha (dornán x2)
tráta mór x6
gas soilire x2
ola olóige (20ml)
caprais shruthlaithe (spbh x2)
oinniún x1
oragán tirim (tsp x1)

Modh

Gearr na hubhthorthaí ina bpíosaí measartha mór (2.5 x 2.5cm). Gearr an dá ghas soilire ina slisíní 2cm. Déan na trátaí a ghearradh ina bpíosaí fosta.

Doirt ola olóige sa phota lena téamh, cuir isteach na hubhthorthaí agus déan iad a bhlaistiú leis an oragán agus salann.
Lig dóibh cócaráil ar feadh 5 nóiméad go mbeidh dath donn orthu.
Cuir isteach tuilleadh ola olóige más gá.
Déan an t-oinniún agus an ghairleog a mhionghearradh agus a chur sa phota.
Measc isteach an soilire, na caprais, na hológa agus an fínéagar.

Nuair a bheas an fínéagar galaithe, cuir isteach na trátaí.
Lig dó suanbhruith ar feadh 15 nóiméad.
Déan é a mhaisiú leis an pheirsil mhionghearrtha agus sin é réidh agat le tabhairt chun boird.

Gluais

gas: stalk
oragán: oregano
caprais: capers
measartha mór: quite big
galaithe: evaporated
suanbhruith: simmer
déan é a mhaisiú: garnish it

Is féidir rís, pasta nó prátaí a chur leis an Caponata le béile níos mó a dhéanamh de.

Ratatouille

Díol ceathrair nó seisir

piobair

cúirséad

oinniún

ola olóige

gairleog

canna trátaí

Comhábhair

piobar dearg x1
piobar buí x1
piobar oráiste x1
cúirséad x2
oinniún mór x1
oragán nó basal
(tsp x1 má tá sé tirim,
lán dornáin má tá sé úr)
ionga gairleoige x2
canna trátaí (200g)
ola olóige

Modh

Gearr na cúirséid ina slisíní 1.5cm agus na piobair ina gcearnóga 2cm x 2cm.
Cuir ola olóige sa phota ar an sorn. Cuir teas faoi.
Gearr an t-oinniún agus na hingne gairleoige agus cuir isteach sa phota iad.

Ansin i ndiaidh 3 nóiméad, cuir na piobair agus na cúirséid leo agus measc gach rud le chéile le spúnóg adhmaid.
Cuir isteach na trátaí mar aon le salann agus piobar, oragán nó basal agus déan gach rud a shuaitheadh go maith.

Blais i ndiaidh cúpla nóiméad é. Má bhíonn blas géar ar na trátaí, cuir isteach cupán stoc glasraí agus taespúnóg purée trátaí.
Lig dó suanbhruith ar feadh 25 nóiméad ach ná lig dó imeacht ina purée.

Gluais

oragán: oregano
basal: basil
ionga gairleoige: a clove of garlic
sorn: hob
measc: mix
spúnóg adhmaid: a wooden spoon
géar: sharp
suanbhruith: simmer
ná lig dó imeacht ina purée: don't let it become a purée

Is féidir rís, pasta nó prátaí a chur leis an Ratatouille le béile níos mó a dhéanamh de.

Risi e Bisi (Rís agus Piseanna)

piseanna

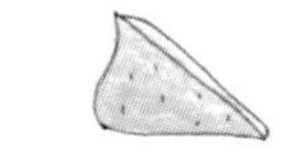
parmasán

pancetta

fíon geal

oinniún

ola olóige

rís Arborio

Comhábhair

piseanna agus blaosc orthu (900g) nó
piseanna reoite (450g)
stoc glasraí (1.75 lítear)
slisín pancetta x4
ola olóige (spbh x1)
oinniún beag x1
peirsil (spbh x2)
rís Arborio (250g)
fíon geal (125ml)
im (5g)
parmasán grátáilte (spbh x2)

Gluais

ar suanbhruith: simmering
an fáinne cúil: the back ring
blaosc(anna): shell(s)
criathar: a sieve
clúdaithe le hola: covered with oil
doirt: pour
déan an rís a shuaitheadh: stir the rice
roinn: divide

Modh

Bíodh pota stoic the ar suanbhruith agat ar an fháinne cúil. Bain na piseanna as na blaoscanna, cuir na blaoscanna sa stoc agus cuir criathar sa phota ionas gur féidir spúnóga de stoc gan bhlaoscanna a bhaint amach as an phota go furasta.

Cuir ola olóige i bpota eile agus cuir isteach an t-oinniún mionghearrtha, na piseanna agus spúnóg bhoird pheirsile agus fág ar suanbhruith iad ar feadh nóiméad amháin.
Isteach leis an rís anois agus measc thart na gráinní go dtí go mbeidh siad clúdaithe le hola.
Doirt isteach an fíon agus lig dó cócaráil.

Agus an fíon súite ag an rís, cuir isteach 500ml stoic agus déan an rís a shuaitheadh. Lean leat ag cur isteach stoic go dtí go mbeidh an leacht uilig súite. (Tógfaidh seo tuairim is 20 nóiméad).
Cuir isteach im, peirsil mhionghearrtha agus parmasán.
Cuir na slisíní pancetta i bhfriochtán tirim agus déan iad a chócaráil go dtí go mbeidh siad briosc.
Roinn an risotto ar 4 phláta agus cuir slisín pancetta ar an bharr.

In amanna, agus béile speisialta i gceist, cuirim filléad bradáin (féach lch 111) ar bharr an risotto.
Mura n-itheann tú feoil:
Is féidir dearmad a dhéanamh den pancetta!

Crêpes

Díol beirte (2 crêpe an duine)

ubh

plúr bán

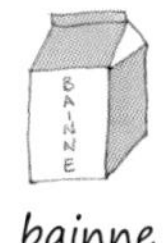

bainne

slisín liamháis

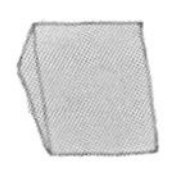
Gruyère

im

mustard

Comhábhair

plúr bán (110g)
bainne (275ml)
ubh x1
mustard
slisín liamháis x8
cáis Gruyère (80g)
im (100g)

Modh

Criathraigh an plúr isteach i mbabhla mór, déan poll sa lár, cuir an ubh sa pholl agus doirt isteach an bainne de réir a chéile agus tú ag meascadh an chumaisc le greadtóir i rith an ama.
Cuir salann agus piobar leis.

Cuir friochtán ar an sorn agus teas faoi.
Cuir an t-im sa fhriochtán agus nuair a bheidh sé leáite, cuir dhá liach bheaga den chumasc sa fhriochtán.
Cas an friochtán ionas go leathfaidh an cumasc ar dhromchla an fhriochtáin.

Nuair a fheicfidh tú boilgeoga beaga ar an chumasc, grátáil an Gruyère air.
Ansin cuir dhá shlisín liamháis ar leath den chumasc agus mustard ar bharr an liamháis.
Fill an crêpe ionas go mbeidh cruth leathchiorcail air.
Cuir ar phláta é agus déan an rud céanna arís x3.

Gluais

criathraigh: sieve
ionas go leathfaidh an cumasc: so that the mixture spreads out
dromchla: surface
boilgeoga: bubbles
leathchiorcal: semi-circle
leann úll tirim ón Normainn: dry Normandy cider

Tá leann úll tirim ón Normainn riachtanach leis seo!

PASTA

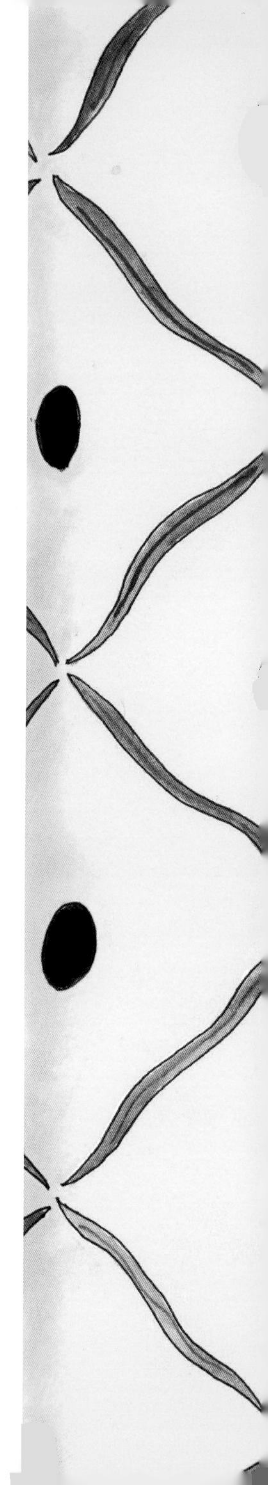

Lasagne do Veigeatóirí

Díol ceathrair

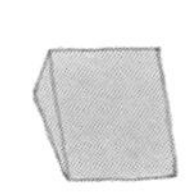

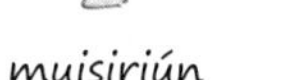

muisiriún | *spionáiste* | *oinniún* | *piobair* | *canna trátaí* | *ola olóige* | *cáis*

Comhábhair

lasagne (250g)
spionáiste (100g)
muisiriúin (100g)
oinniún x1
ionga gairleoige x1
piobar x3
canna trátaí (200ml)
noitmig (gráinnín)
oragán (tsp x2)
purée trátaí (spbh x2)
cáis ghrátáilte
im
ola olóige
peperoncino (½ tsp)
cáis ghrátáilte

Gluais

reoite: frozen
mias gratin: gratin dish
croith: sprinkle
ná nigh: don't wash
cuimil: wipe
oragán: oregano
an cumasc: the mixture
gliú: glue
ag greamú dá chéile: sticking together
leathadh: spread
sraith: layer
bog: soft

Modh

Spréigh an spionáiste ar mhias measartha domhain (mias gratin). Croith noitmig ghrátáilte, salann agus piobar ar an spionáiste. Cuir lasagne ar a bharr.
Ná nigh na muisiriúin ach cuimil le páipéar cistine iad agus gearr ina slisíní iad. Cuir isteach i bhfriochtán le him, ola olóige agus taespúnóg oragáin iad. I ndiaidh cúpla nóiméad, cuir isteach 2 spúnóg bhoird de purée trátaí chomh maith. Ba cheart an cumasc a bheith mar a bheadh gliú ann agus na muisiriúin ag greamú dá chéile.
Déan é a leathadh ar na lasagne agus cuir sraith eile lasagne ar a bharr.
Gearr na piobair agus cuir sa fhriochtán le gairleog, oinniún agus ola olóige iad. Agus iad bog, cuir canna trátaí isteach leo agus measc gach rud le chéile. Cuir peperoncino (nó púdar sillí) ar na trátaí chomh maith le horagán (nó basal). Leath é seo ar na lasagne.
Grátáil cáis ar an bharr agus cuir san oigheann é ar feadh 25 nóiméad @180°C.

Más feoiliteoir amach is amach thú, is féidir bagún griolltа briosc a ghearradh isteach sna trátaí.
Is maith liom piobair ar dhathanna éagsúla.

Pasta à La Primavera

Díol ceathrair

asparagas

brocailí

piseanna

spionáiste

uachtar

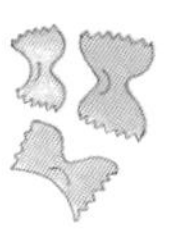
pasta

Comhábhair

brocailí (crann beag amháin)
asparagas x6
spionáiste (dornán x2)
piseanna (100g)
parmasán
noitmig (gráinnín)
uachtar (200ml)
pasta (500g)

Modh

Bain gail as 2 phota uisce, ceann don phasta agus ceann do na glasraí.
Is féidir na glasraí a ghalú más fearr leat.
Agus an t-uisce ar gail, caith an pasta isteach i bpota amháin. Cuir an brocailí, na piseanna agus an t-asparagas sa phota eile agus fág iad ar feadh 4 nóiméad.

Nuair a bheas na glasraí deas briosc go fóill agus an pasta mar a d'iarrfadh do bhéal é a bheith .i. al dente, bain an t-uisce díobh agus cuir an spionáiste leis na glasraí agus grátáil noitmig orthu. Ansin, déan an pasta agus na glasraí a chur isteach san aon phota amháin, cuir isteach an t-uachtar, measc an t-iomlán le chéile agus cuir an cumasc i mias oighinn.

Gearr sliseoga parmasáin le scamhaire prátaí agus cuir ar an bharr iad. Cuir an mhias san oigheann ar feadh 20 nóiméad @180˚C.

Gluais

glasraí: vegetables
ar gail: boiling
briosc: crunchy,crisp
mar a d'iarrfadh do bhéal a bheith: exactly as you would wish
cumasc: mixture
mias oighinn: ovenproof dish
sliseoga: shavings
scamhaire prátaí: potato peeler
feoiliteoir: carnivore
bagún griollta briosc: crispy grilled bacon

Má tá fonn feola ort, gearr bagún griollta briosc isteach sula gcuirfidh tú an pasta san oigheann.

Pasta Carbonara

Díol ceathrair

penne

parmasán

pancetta

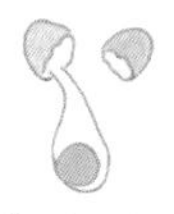

buíocán uibhe

uachtar

ola olóige

Comhábhair

penne (500g)
parmasán
ciúbanna pancetta (200g)
ola olóige
buíocán uibhe x3
uachtar (200ml)

Modh

Cuir síos pota uisce agus bain gail as. Cuir salann isteach agus ansin na penne.
Cuir na ciúbanna pancetta sa fhriochtán le braon ola olóige.
Nuair a bheas siad briosc, tóg amach agus triomaigh ar pháipéar cistine iad.

Cuir an t-uachtar agus 3 bhuíocán uibhe i mbabhla mór agus déan iad a mheascadh.
Cuir piobar isteach ach níl aon ghá le salann mar go bhfuil neart salainn sa pancetta.
Nuair a bheas na penne mar a d'iarrfadh do bhéal iad a bheith .i. al dente, bain an t-uisce.

Cuir leis an chumasc sa bhabhla mhór iad, á meascadh isteach go gasta ionas go mbeidh na buíocáin bruite ach gan a bheith scrofa.
Cuir isteach an pancetta agus dáil an pasta ar 4 phláta. Grátáil parmasán ar an bharr.

Gluais

bain gail as: bring it to the boil
buíocán: yolk
déan iad a mheascadh: mix them
níl aon ghá (le): there is no need (for)
bain an t-uisce: drain
bruite: cooked
scrofa: scrambled
dáil: portion out/serve
trom:heavy

Tá sailéad glas le fínéigréad an-deas leis seo nó tá anlann an phasta trom.

Pasta Gasta

Díol ceathrair

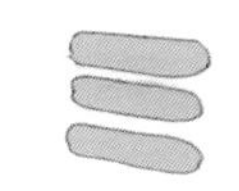

gnáth-ispíní

canna trátaí

oinniún

ola olóige

pasta

Comhábhair

gnáth-ispín x8
canna trátaí (400ml)
oinniún x1
ola olóige
oragán
pasta (500g)

Modh

Cuir síos pota lán d'uisce, bain gail as agus ansin caith isteach an pasta agus bruith é.
Cuir braon ola olóige i bpota eile agus cuir teas faoi.

Gearr gach ispín ina 6 phíosa agus cuir isteach san ola iad.
Gearr an t-oinniún go mion agus cuir isteach san ola chomh maith é (is féidir ionga gairleoige mhionghearrtha a chur leis fosta).
Agus dath donn ag teacht ar an oinniún agus ar na hispíní, cuir isteach an t-oragán agus na trátaí.

Ísligh an teas agus coinnigh súil air go dtí go mbeidh an pasta réidh. Bain an t-uisce den phasta, déan an pasta agus an t-anlann a mheascadh le chéile agus dáil amach ar 4 phláta é.

Gluais

cuir síos pota lán d'uisce: put on a full pot of water
bain gail as: bring to the boil
cuir teas faoi: heat
go mion: finely (chopped)
chomh maith: as well
ísligh an teas; reduce/lower the heat
coinnigh súil air: keep an eye on it
an t-anlann: the sauce
dáil amach: portion out/serve

Is féidir cáis a ghrátáil ar a bharr chomh maith.

Spaghetti Puttanesca

Díol ceathrair

canna ainseabhaithe

gairleog

trátaí

caprais

ológa dubha

parmasán

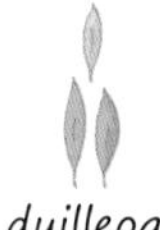
duilleoga basal

Comhábhair

spaghetti (500g)
ionga gairleoige x2
canna ainseabhaithe (50g)
ológa dubha gan chlocha (75g)
sillí dearg x1
caprais (spbh x1)
trátaí úra (450g; nó canna 400g)
parmasán
duilleoga basal
ola olóige

Gluais

ar gail: boiling
gearr le siosúr: cut with scissors
mar aon leis: along with
tuairim is: approximately
á meascadh ó am go ham: mixing them regularly
cheana féin: already
bain an t-uisce; drain the water
an t-anlann: the sauce
ar an bharr: on top of it

Modh

Cuir síos pota mór uisce. Agus an t-uisce ar gail, caith isteach na spaghetti.

Bain na síolta den sillí agus gearr go mion é.
Gearr na hainseabhaithe le siosúr agus cuir isteach i bhfriochtán iad mar aon leis an ola atá sa channa. Beidh ort ola olóige sa bhreis a chur isteach chomh maith, tuairim is spúnóg bhoird amháin.

Nuair a bheas na hainseabhaithe briste síos san ola, cuir isteach an sillí, an ghairleog agus na caprais. Lig dóibh cócaráil ar feadh 7 nóiméad, agus tú á meascadh ó am go ham.
Cuir isteach na trátaí agus na hológa. Cuir piobar isteach – níl gá ar bith le salann mar go bhfuil na hainseabhaithe saillte cheana féin.

Agus na spaghetti réidh, bain an t-uisce agus roinn ar 4 phláta iad; roinn an t-anlann ón fhriochtán ar na spaghetti agus cuir duilleoga basal agus parmasán grátáilte ar an bharr.

Tagliatelle Síolta Cearbhais

Díol ceathrair

cabáiste

tagliatelle

uachtar

síolta cearbhais

parmasán

Comhábhair

tagliatelle (500g)
uachtar (200ml)
½ cabáiste gearrtha ina ribíní
síolta cearbhais (tsp x2)
parmasán grátáilte (spbh x3)

Modh

Cuir pota mór lán d'uisce ar an sorn agus bain gail as.
Caith isteach na tagliatelle lena mbruith.

5 nóiméad sula mbeidh na tagliatelle réidh, cuir isteach an cabáiste. Agus na 5 nóiméad sin istigh, glac spúnóg bhoird den leacht amach as an phota agus cuir i gcupan é. Síothlaigh na tagliatelle agus an cabáiste, iompaigh amach ar mhias mhór gratin iad, cuir an leacht sa chupán leo, doirt an t-uachtar orthu agus measc go maith iad.

Scaip na síolta cearbhais trí na tagliatelle agus cabáiste agus cuir parmasán grátáilte ar an bharr.
Cuir an mhias san oigheann ar feadh 25 nóiméad @180°C.

Gluais

síolta cearbhais: caraway seeds
bain gail as: bring it to the boil
leacht: liquid
síothlaigh: drain
iompaigh amach: turn out
scaip: scatter
bagún brioscánach: crispy bacon
liamhás: ham

Más feoiliteoir thú, tig leat bagún brioscánach nó liamhás a chur leis.

PRÍOMHCHÚRSAÍ – FEOIL

Carpaccio Mairteola

Díol seisir

mairteoil

ola sheasamain

sú líoma

sinséar

raidis

anlann soighe

Comhábhair

filléad mairteola (900g)
síolta lus an choire (spbh x1)
lán láimhe de mharós
oragán tirim (tsp x1)
sinséar (3cm)
sillí dearg/glas x2–3
duilleoga gearrtha lus an choire (dornán)
paicéad raidisí
ola sheasamain (spbh x1)
anlann soighe (spbh x1)
sú líoma (2 líoma)

Gluais

moirtéar: mortar
tuairgnín: pestle
marós: rosemary
oragán: oregano
déan ... a rolladh agus a bhrú: roll and press
craiceann luibheanna: a covering of herbs
gréiscthe: greased
á tiontú go rialta: turning it regularly

Modh

Cuir síolta lus an choire isteach i moirtéar. Brúigh agus bris iad leis an tuairgnín.
Cuir isteach marós, oragán, salann agus piobar.
Measc le chéile agus cuir ar phláta iad.
Déan an filléad a rolladh agus a bhrú go láidir ar bharr na luibheanna ionas go mbeidh craiceann luibheanna air.

Cuir friochtán gréiscthe ar an teas agus nuair a bheas sé an-te, loisc an fheoil ar feadh 5 nóiméad, á tiontú go rialta ionas go mbeidh dath donn ar achan taobh agus go mbeidh an filléad briosc.
Bain an filléad den teas. Lig dó suí go ceann 5 nóiméad.
Gearr an fheoil ina slisíní iontach tanaí agus cuir ar phláta mór iad.

Gearr an sinséar ina chipíní tanaí agus na raidisí ina slisíní. Bain na síolta den sillí agus gearr go mion é. Cuir ar an fheoil iad mar aon le duilleoga lus an choire.

Doirt braonta ola sheasamain, anlann soighe agus sú líoma ar a seal ar an fheoil agus deán cinnte de go mbeidh gach slisín clúdaithe.

Tá sé deas le prátaí beaga bruite (prátaí úra is deise) agus pónairí Francacha ar a bhfuil fínéigréad.

Ceibeabanna Sicín

Díol ceathrair

sicín

piobar dearg

oinniún

mil

ola olóige

Comhábhair

filléad sicín x4–6
ola olóige (spbh x6)
calóga sillí (tsp x2)
oragán (tsp x1)
piobar dearg x2
mil (spbh x4)
oinniún x2
briogún fada bambú x8
An tAnlann
trátaí (450g) nó canna (400g)
leacht maranáide
stoc-chiúb sicín

Gluais

déan ... a ghearradh: cut
i mbabhla: in a bowl
calóga sillí: chilli flakes
oragán: oregano
clúdaigh an mharanáid: cover the marinade
sa chuisneoir: in the fridge
na briogúin: the skewers
gríoscán: grill
leacht: liquid

Modh

Na ceibeabanna:
Déan na filléid, na piobair agus na hoinniúin a ghearradh ina bpíosaí (bíodh na píosaí thart faoin mhéid chéanna – 2cm x 2cm) agus cuir i mbabhla leis an ola olóige, an mhil agus na calóga sillí iad.
Cuir salann, piobar agus oragán isteach agus measc gach rud go maith le chéile.
Clúdaigh an mharanáid seo le scannán cumhdaithe agus fág sa chuisneoir í – thar oíche, más féidir, nó ar feadh cúpla uair an chloig ar a laghad – sula ndéanfaidh tú na briogúin.
Cuir na comhábhair ar na briogúin (2 bhriogún an duine) san ord seo: piobar, oinniúin, sicín, piobar, oinniúin, sicín srl. Ní gá iad a líonadh ó bhun go barr.
Cuir faoin ghríoscán iad agus tiontaigh anois is arís iad go dtí go mbeidh siad deas donn. Coinnigh súil orthu.

Anlann spíosrach:
Cuir an leacht atá fágtha ón mharanáid isteach sa fhriochtán, déan an stoc-chiúb a leá i muga uisce bhruite agus cuir isteach sa fhriochtán ansin é. Cuir isteach na trátaí fosta agus lig don chumasc bruith go dtí go mbeidh an leacht measartha ramhar.

Tá sé deas le rís nó le ciúbanna prátaí rósta le gairleog agus sailéad.

Ceibeabanna Uaineola

Díol ceathrair

uaineoil

duilleoga labhrais

sú líomóide

oinniún

piobar

ionga gairleoige

ola olóige

Comhábhair

ciúbanna uaineola (700g)
ola olóige (spbh x6)
ionga gairleoige x2
piobar glas x2
sú líomóide (spbh x3)
oinniún x2
oragán (tsp x1)
duilleoga labhrais x6
briogún fada bambú x8
An tAnlann
trátaí (400g)
leacht maranáide
stoc-chiúb uaineola
peperoncino (½ tsp)

Gluais

clúdaigh an mharanáid: cover the marinade
sa chuisneoir: in the fridge
na briogúin: skewers
ní gá iad a líonadh ó bhun go barr: there is no need to fill them completely
gríoscán: grill
leacht: liquid
ramhraithe: thickened

Modh

Na ceibeabanna:
Stróic na duilleoga labhrais ina 2 leath.
Déan na piobair, na hoinniúin agus an uaineoil a ghearradh ina bpíosaí (bíodh na píosaí thart faoin mhéid chéanna – 2cm x 2cm) agus cuir i mbabhla leis an ola olóige agus an sú líomóide iad.
Cuir isteach salann, piobar, gairleog mhionghearrtha, duilleoga labhrais agus oragán agus measc gach rud go maith.
Clúdaigh an mharanáid seo le scannán cumhdaithe agus fág sa chuisneoir í – thar oíche, más féidir, nó ar feadh cúpla uair an chloig ar a laghad – sula ndéanfaidh tú na briogúin.
Cuir na comhábhair ar na briogúin (2 bhriogún an duine) san ord seo: piobar, oinniúin, duilleog labhrais, uaineoil; piobar, oinniúin, duilleog labhrais, uaineoil srl. Ní gá iad a líonadh ó bhun go barr.
Cuir faoin ghríoscán agus tiontaigh anois is arís iad go dtí go mbeidh siad deas donn.

Anlann spíosrach:
Cuir an leacht atá fágtha ón mharanáid isteach sa fhriochtán, déan an stoc-chiúb a leá i muga uisce bhruite agus cuir isteach sa fhriochtán ansin é. Cuir na trátaí agus an peperoncino isteach sa fhriochtán agus lig don chumasc bruith go dtí go mbeidh an leacht ramhraithe rud beag.

Tá sé deas le rís nó le ciúbanna prátaí rósta le gairleog agus sailéad.

Goulash

Díol ceathrair

muiceoil

oinniún

ionga gairleoige

piobar

muisiriún

stoc-chiúb

paiprice

Comhábhair

ciúbanna muiceola (600g)
oinniún x1
ionga gairleoige x3
piobar dearg x1
muisiriúin (200g)
stoc-chiúb i lítear uisce
paiprice (tsp x3)
ola olóige

Modh

Bain úsáid as casaról nó as pota le clár is féidir a chur isteach san oigheann.

Cuir ola sa chasaról agus cuir isteach an mhuiceoil. Cuir isteach an paiprice agus measc leis an fheoil é. Ansin cuir isteach an t-oinniún, an piobar dearg, na muisiriúin agus an ghairleog.

Déan an t-iomlán a shuaitheadh ar feadh cúpla nóiméad. Cuir isteach an stoc (agus canna trátaí más mian leat).

Agus gail bainte as, cuir san oigheann ar feadh 45 nóiméad @180˚C é.

Gluais

cuir isteach: add
measc: mix
agus gail bainte as: when it has come to the boil

Is féidir an goulash a riar le prátaí, le harán nó le rís.

Gríscíní Muiceola le hUachtar

Díol ceathrair

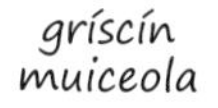

gríscín muiceola

uachtar

im

muisiriún

plúr bán

ola olóige

Comhábhair

gríscín muiceola x4
uachtar (200ml)
im (75–100g)
muisiriúin (200g)
plúr bán (10g)
ola olóige (braon beag)

Modh

Cuir im ag leá sa fhriochtán le braon beag ola olóige.
Croith an plúr ar phláta, cuir salann agus piobar ann agus clúdaigh gach gríscín leis.
Cuir na gríscíní isteach sa fhriochtán agus déan iad a chócaráil go dtí go mbeidh siad donn. Bain amach agus cuir ar leataobh iad.

Gearr na muisiriúin ina slisíní measartha tiubh agus cuir sa fhriochtán iad. Beidh ort níos mó ime a chur isteach. Cuir an plúr ón phláta isteach sa fhriochtán leis an im a shú. Agus na muisiriúin agus an plúr mar a bheadh gliú ann, bain den teas iad.

Cuir scragall alúmanaim i mias gratin, cuir na gríscíní isteach ann agus na muisiriúin ar a mbarr. Ansin doirt uachtar ar gach gríscín. Clúdaigh an t-iomlán le scragall alúmanaim agus cuir san oigheann ar feadh 40 nóiméad @180°C é.

Gluais

croith: sprinkle
gríscíní: chops
cuir ar leataobh: set aside
measartha tiubh: quite thick
níos mó ime: more butter
leis an im a shú: to absorb the butter
gliú: glue
bain den teas iad: remove them from the heat
scragall alúmanaim: aluminium foil
mias gratin: gratin dish
clúdaigh an t-iomlán: cover it completely

Tá sé deas le rís nó brúitín, glasraí glasa agus arbhar milis.

Liamhás agus Siocaire

Díol beirte

siocaire

slisín liamháis

cáis

prátaí

ola olóige

gairleog

Comhábhair

práta x5
ola olóige
gráinníní gairleoige

Anlann bán:
im (15g)
plúr bán (spbh x1)
bainne (300ml)

siocaire x2
slisín liamháis x8
cáis Gruyère

Gluais

ullmhaigh: prepare
bain an craiceann: remove the skin
croith: sprinkle
leáigh: melt
de réir a chéile: gradually
a ghreamóidh de dhroim na spúnóige: that will coat the back of the spoon

Modh

Prátaí rósta:
Ullmhaigh na prátaí ar dtús.
Bain an craiceann díobh agus gearr ina gciúbanna measartha mór iad.
Cuir ar thráidire éadomhain iad agus doirt braonta ola olóige orthu. Croith gráinníní gairleoige, salann agus piobar orthu.
Isteach san oigheann leo ansin ar feadh 45 nóiméad @180°C.
Anlann Bán:
Leáigh cúpla daba ime i scilléad ag meánteas agus ansin bain den teas é, cuir plúr leis agus measc leat go dtí nach mbeidh an plúr le feiceáil níos mó.
Cuir ar ais ar an teas é ar feadh nóiméid le ligean don phlúr cócaráil.
Doirt isteach bainne de réir a chéile agus measc ar an teas é go dtí go mbeidh anlann lonrach mín agat a ghreamóidh de dhroim na spúnóige.
Siocaire:
Déan gach siocaire a ghearradh ina 4 phíosa agus fill an liamhás orthu.
Cuir i mias éadomhain agus clúdaigh le hanlann bán iad.
Grátáil Gruyère ar an bharr agus cuir san oigheann ar feadh 30 nóiméad @180°C iad.

Bheadh cáis chrua ar bith fóirsteanach.
Is féidir mustard a chur isteach san anlann bán más maith leat – ní bhacaim féin leis!

Mairteoil Bhúistithe

Díol ceathrair

Comhábhair

slisín tanaí mairteola i.e.
íostiarpa x8
slisín pancetta x8
gircín mór x2
mustard
meacan dearg x2
oinniún x1
stoc mairteola x1 lítear
ionga gairleoige x1
duilleog labhrais x3
ola olóige
plúr bán (10g)
cipín manglaim x8

Gluais

íostiarpa: silverside
bain úsáid as: use
pota le clár: a pot with a lid
buail: beat
déan an t-iomlán a rolladh: roll the lot
cosúil le hispín: like a sausage
cipín manglaim: cocktail stick
séalaigh: seal/sear
prátaí bruite: boiled potatoes
cál: cabbage
gearr: cut

Modh

Bain úsáid as casaról nó as pota le clár is féidir a chur san oigheann.

Buail na slisíní mairteola le crann fuinte agus cuir mustard orthu. Cuir slisín pancetta (nó bagún) ar gach píosa mairteola, ¼ gircín ar an pancetta agus déan an t-iomlán a rolladh go mbeidh sé cosúil le hispín. Ceangail an mhairteoil le cipín manglaim.

Cuir ola sa chasaról agus cuir an mhairteoil isteach. Séalaigh gach píosa. Cuir spúnóg phlúir isteach agus measc leis an ola é. Ansin cuir lítear de stoc mairteola te leis de réir a chéile.

Glan agus gearr na meacain dhearga, an t-oinniún agus an ghairleog agus cuir leis an stoc iad. Spréigh na duilleoga labhrais ar an bharr.

Cuir an casaról san oigheann @180°C ar feadh 45 nóiméad.

Tá sé seo deas le prátaí bruite agus cál. Nigh agus gearr an cál agus cuir isteach sa fhriochtán é le him, noitmig, salann agus piobar. Cuir clár ar an fhriochtán agus ísligh an teas. Beidh sé réidh i gceann 7 nóiméad.

Saltimbocca (Preab sa Bhéal)

Díol ceathrair

liamhás
Parma

Comhábhair

filléad muiceola
(125g–150g) x4
Marsala (170 ml)
duilleog sáiste x4
liamhás Parma (200g)
ola olóige
cipín manglaim x16

Modh

Gearr an mhuiceoil ina slisíní dar tiús 1cm.
Buail gach píosa feola le taobh do dhoirn.
Ceangail duilleog sáiste agus píosa liamháis den mhuiceoil le cipín manglaim.

Cuir ola olóige sa fhriochtán agus cuir isteach gach beart feola duilleog faoi.
Tiontaigh iad i ndiaidh 3 nóiméad.

Agus iad donnaithe go maith, cuir isteach thart fá 170ml Marsala agus ardaigh an teas ionas go n-imeoidh an t-alcól ina ghal.

Gluais

gearr: cut
dar tiús: thickness
buail: beat
taobh do dhoirn: the side of your fist
cipín manglaim: cocktail stick
duilleog faoi: leaf side under
tiontaigh: turn
donnaithe: browned
ardaigh: increase/turn up
imeoidh......ina ghal: will evaporate
in éineacht le: along with

Tá sé an-deas le glasraí glasa – brocailí, piseanna sugar-snap, pónairí Francacha – in éineacht le ciúbanna prátaí rósta le gairleog agus ola olóige (féach Liamhás, Siocaire agus Anlann Bán le Prataí Rósta ar lch 79).

Sicín le Chorizo agus Rís

Díol ceathrair

sicín

piobar

oinniún

chorizo

rís

fíon geal

ológa dubha

Comhábhair

sicín (1.75–2kg)
piobar dearg x2
oinniún mór milis x1
trátaí griantriomaithe in ola (50g)
ionga gairleoige x2–3
ola olóige
chorizo (150g)
rís (225g),
stoc sicín (275ml)
fíon geal (170ml)
purée trátaí (spbh x1)
paiprice (½ tsp)
luibheanna measctha (tsp x1)
ológa dubha (50g)

Gluais

teas ard: high heat
bain amach iad: take them out
donn ar an taobh amuigh: brown on the outside
trátaí griantriomaithe: sun-dried tomatoes
ar bharr na ríse: on top of the rice

Modh

Bain úsáid as casaról nó as pota le clár is féidir a chur san oigheann.
Cuir ola olóige isteach sa phota agus teas ard faoi. Cuir na píosaí sicín isteach sa phota agus bain amach iad nuair a bheas siad donn ar an taobh amuigh.

Gearr an chorizo ina shlisíní.
Cuir spúnóg bhoird d'ola olóige isteach sa phota mar aon leis an oinniún, na piobair, an ghairleog agus an chorizo. Agus iad donn, cuir isteach na trátaí griantriomaithe.

An rís a théann isteach ina dhiaidh sin.
Measc leat agus déan cinnte de go mbeidh gach gráinne clúdaithe le hola. Cuir isteach an fíon, an stoc, an purée trátaí, salann agus piobar agus measc iad.
Cuir an sicín ar bharr na ríse – caithfidh an rís a bheith clúdaithe le leacht.

Croith na luibheanna agus an paiprice ar an sicín.
Cuir isteach na hológa agus cuir an pota san oigheann go ceann uair an chloig @180°C.

Is fearr píosaí sicín a cheannach a bhfuil cnámh iontu agus craiceann orthu.

Sicín le hUachtar agus Mustard

Díol ceathrair

sicín *uachtar* *mustard Dijon* *cornichon*

Comhábhair

filléad sicín x4
uachtar (200 ml)
mustard Dijon
(spbh x2 / tsp x6)
cornichon x6 nó gircín
gearrtha x2
ola nó im (rud beag)

Modh

Cuimil an mhias gratin le hola nó le him.
Cuir na filléid isteach sa mhias.
Measc mustard Dijon leis an uachtar i mbabhla.
Doirt é seo ar an sicín agus cuir na gircíní gearrtha/na cornichons ar a bharr.
Cuir san oigheann ar feadh 25 nóiméad @180˚C é.

Gluais

cuimil: rub
mias gratin: gratin dish
i mbabhla: in a bowl
measc: mix
doirt: pour

Glasraí: prátaí rósta le gairleog, pónairí Francacha, arbhar milis agus is fearr liom féin asparagas.

Stobhach Gaelach

Díol ceathrair

uaineoil

oinniún

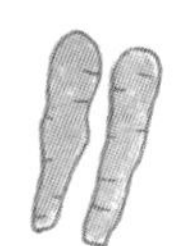

meacain dhearga

ionga gairleoige

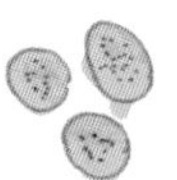

prátaí

plúr bán

ola olóige

Comhábhair

uaineoil (600–800g)
oinniún x1
meacan dearg x3–4
ionga gairleoige x1–2
práta x13
glasraí eile
tím thirim (½ tsp)
plúr bán (spbh x2)
stoc uaineola (stoc-chiúb x2)
ola olóige

Gluais

gearr: cut
measc: mix
lena chinntiú: to ensure
go gcumascfar an plúr: that the flour is blended
bain an craiceann: remove the skin
nigh: wash
na glasraí eile: the other vegetables
tuilleadh: more
fág: leave
ag gail: boiling

Modh

Bain úsáid as casaról nó as pota le clár is féidir a chur san oigheann. Cuir ola sa phota. Cuir teas faoi. Gearr an fheoil ina píosaí (is féidir filléad ón mhuineál, muineál caoireola nó gríscíní a úsáid) agus cuir isteach sa phota iad. Measc thart iad go dtí go mbeidh siad donn.

Gearr an t-oinniún agus an ghairleog agus cuir isteach iad.
Cuir an plúr isteach agus measc leat go dtí nach féidir an plúr a fheiceáil níos mó.
Measc na stoc-chiúbanna le lítear d'uisce bruite agus doirt isteach sa phota é de réir a chéile lena chinntiú go gcumascfar an plúr sa stoc.

Bain an craiceann de na prátaí agus gearr iad má tá siad mór.
Nigh agus gearr na meacain dhearga agus na glasraí eile agus cuir iad uilig isteach sa phota.
Cuir an tím, salann agus piobar isteach.
Measc gach rud agus doirt isteach tuilleadh uisce más gá sa dóigh go mbeidh gach rud clúdaithe leis an leacht.
Fág an pota ar an sorn go dtí go dtosóidh sé ag gail.
Ansin cuir san oigheann ar feadh 45 nóiméad @180°C é.

Stobhach le Pónairí

Díol ceathrair

oinniún

ionga gairleoige

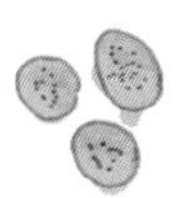
prátaí

pónairí flageolet

plúr

ola olóige

Comhábhair

uaineoil (600–800g)
oinniún x2
ionga gairleoige x1–2
práta x13
canna pónairí flageolet (200g) x2
tím thirim (½ tsp)
plúr bán (spbh x2)
stoc uaineola (ciúb x1–2)
ola olóige

Modh

Bain úsáid as casaról nó as pota le clár is féidir a chur san oigheann.
Cuir ola sa phota. Cuir teas faoi. Gearr an fheoil ina píosaí (is féidir filléad ón mhuineál, muineál caoireola nó grìscíní a úsáid) agus cuir isteach sa phota iad. Measc thart iad go dtí go mbeidh siad donn.

Gearr na hoinniúin agus cuir isteach iad. Ansin déan an ghairleog a mhionghearradh is a chur isteach.
Cuir isteach an plúr agus measc leat go dtí nach féidir an plúr a fheiceáil níos mó.
Measc an stoc-chiúb le lítear d'uisce bruite agus doirt isteach sa phota de réir a chéile é lena chinntiú go gcumascfar an plúr sa stoc.

Bain an craiceann de na prátaí, gearr iad má tá siad mór agus cuir sa phota iad.
Nigh na pónairí sa chriathar agus cuir isteach sa phota iad.
Cuir an tím agus piobar isteach. (Ná cuir salann isteach go dtí an deireadh).
Déan gach rud a mheascadh agus cuir tuilleadh uisce isteach más gá sa dóigh go mbeidh gach rud clúdaithe leis an leacht.
Fág an pota ar an sorn go dtí go dtosóidh sé ag gail.
Ansin cuir san oigheann é ar feadh 45–50 nóiméad @180°C.

Gluais

gearr: cut
measc: mix
uisce bruite: boiled water
go gcumascfar an plúr: that the flour is blended
bain an craiceann: remove the skin
criathar: sieve
leacht: liquid
ag gail: boiling

Jambalaya

Díol seisir

sicín

chorizo

cloicheán

trátaí

piobar

anlann Tabasco

scailliún

Comhábhair

sicín (500g)
chorizo (200g)
ispín deataithe (200g)
cloicheáin (200g)
sillí glas x1–2
ionga gairleoige x2
oinniún x2
canna trátaí (400g)
piobar buí x2
stoc (½ lítear)
rís basmati (350g)
anlann Tabasco (tsp x2)
duilleog labhrais x1
scailliún x4
peirsil mhionghearrtha
ola olóige (spbh x3)

Gluais

clúdaithe: covered
leacht: liquid
ag tástáil na ríse: testing the rice
corraigh: stir
cumasc: mixture
ag greamú: sticking
tuairim is: approximately

Modh

Gearr an chorizo, an t-oinniún agus an sicín agus cuir ag bruith iad i bpota mór ina bhfuil an ola olóige.
Nuair a bheas ola ag teacht amach as an chorizo agus nuair a bheas an sicín donn, cuir isteach an sillí, an ghairleog agus na piobair mhionghearrtha. Bruith iad ar feadh 6 nóiméad.

Ansin cuir isteach an rís agus nuair a bheas na gráinní clúdaithe le hola, cuir isteach an t-ispín (bíodh sé gearrtha ina shlisíní), an Tabasco, na trátaí, an duilleog labhrais, an pheirsil agus an stoc. Measc go maith iad agus brúigh an rís faoin leacht. Ísligh an teas go mbeidh an cumasc ar suanbhruith.

Ná himigh ón sorn – coinnigh súil ar an bhia. Bí ag tástáil na ríse ó am go chéile agus corraigh an cumasc anois is arís lena chinntiú nach mbíonn an rís ag greamú den bhun. Tuairim is 16 nóiméad a thógfaidh sé leis an rís a chócaráil mar is ceart agus tar éis 10 nóiméad, cuir isteach na cloicheáin lena dtéamh.

Agus tú sásta go bhfuil an rís mar a d'iarrfadh do bhéal í a bheith, gearr na scailliúin agus scaip ar bharr an jambalaya iad.

Is féidir gearradh siar ar an fheoil más mian leat ach is maith liom an éagsúlacht agus an chodarsnacht.

Mairteoil Bourguignon

Díol ceathrair

stéig gheadáin

pancetta

muisiriún

seallóid

fíon dearg

plúr bán

ionga gairleoige

Comhábhair

stéig gheadáin (1kg)
bagún nó ciúbanna
pancetta (200g)
muisiriúin (120g)
seallóidí (50g)
fíon dearg (30ml)
plúr bán (spbh x2)
stoc-chiúb mairteola
x1 lítear
bouquet garni x1
ionga gairleoige x2
duilleog labhrais x2
ola olóige (spbh x2)

Gluais

ciúbanna: cubes
mar aon leis: along with
mionghearrtha: finely chopped
déan ... a shuaitheadh: stir
ramhar: thick
clúdaithe le leacht: covered with liquid
coinnigh teas faoi: keep heating it
ag an fhiuchphointe: at boiling point

Modh

Bain úsáid as casaról nó as pota le clár is féidir a chur san oigheann.
Gearr an stéig ina ciúbanna 2cm x 2cm.
Cuir ola sa chasaról agus cuir an mhairteoil isteach mar aon leis an bhagún.
Cuir isteach an ghairleog mhionghearrtha agus na seallóidí agus nuair a thiocfaidh dath ar an mhairteoil, measc isteach an plúr de réir a chéile go dtí nach mbeidh an ola le feiceáil.

Doirt isteach an fíon agus déan na comhábhair uilig a shuaitheadh go dtí go mbeidh anlann ramhar sa chasaról. Ansin cuir an stoc mairteola agus na muisiriúin leis.
Ina dhiaidh sin, déan é a bhlaistiú leis an bouquet garni, na duilleoga labhrais, salann agus piobar.

Cuir tuilleadh uisce ann mura bhfuil na comhábhair clúdaithe le leacht.

Coinnigh teas faoi go dtí go mbeidh sé ag an fhiuchphointe agus ansin cuir san oigheann é go ceann 90 nóiméad @150˚C.

Tá sé níos blasta arís má fhanann tú lá sula n-itheann tú é. Tá brúitín, prátaí bruite nó rís deas leis seo.

Paella

Díol ceathrair

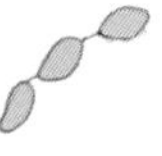

rís Arborio | sicín | ríchloicheán | diúilicíní |  oinniún | chorizo |  paiprice deataithe

Comhábhair

rís Arborio (350g)
ceathrú sicín x4
ríchloicheán x6 nó
cloicheáin (100g)
diúilicíní (500g)
oinniún x1
ionga gairleoige x2
chorizo (100g)
cróch (tsp x1)
peirsil (spbh x2)
líomóid x2
stoc sicín (1 lítear)
paiprice (tsp mhór x1)
piseanna reoite (100g)
ola olóige (spbh x1)

Gluais

ceathrúna: thighs
i leataobh: to one side
suanbhruith: simmer
na gráinní: the grains
clúdaithe: covered
go rómhinic: too often
súite: absorbed
clár: lid
crua: firm
ag greamú: sticking

Modh

Cuir braon ola ar thráidire bácála, cuir an sicín air. Déan na ceathrúna sicín a bhlaistiú le hola olóige, salann agus piobar agus cuir an t-iomlán san oigheann ar feadh 30 nóiméad.
Ullmhaigh an stoc sicín.
Cuir an cróch le 750ml den stoc sicín agus coinnigh an 250ml eile i leataobh. Cuir an friochtán ar an teas, doirt isteach ola olóige agus bruith an chorizo (é gearrtha ina chiorcail 5mm ar tiús), an t-oinniún agus an ghairleog mhionghearrtha go dtí go mbeidh siad bog.
Cuir isteach an rís agus nuair a bheas na gráinní clúdaithe le hola, doirt isteach an 750ml den stoc sicín. Measc gach rud go maith, cuir an paiprice deataithe leis agus suanbhruith ar mheánteas é. Ná measc go rómhinic é nó beidh risotto agat!
I ndiaidh tuairim is 20 nóiméad, nuair a bheas an stoc súite ag an rís, cuir isteach an stoc atá fágtha, na piseanna, na ríchloicheáin agus na diúilicíní. Cuir clár ar an fhriochtán agus bruith an t-iomlán ar feadh 10 nóiméad. (Mura bhfuil clár agat don fhriochtán, is féidir scragall alúmanaim a úsáid.) Coinnigh súil air – seans go mbeidh ort níos mó uisce a chuir leis má bhíonn an rís crua go fóill nó ag greamú den fhriochtán.
Ansin, socraigh na ceathrúna sicín ar bharr na ríse agus maisigh an t-iomlán le peirsil mhionghearrtha. Gearr an dá líomóid ina ɑceathrúna agus cuir ar imeall an fhriochtáin iad.

Is féidir an paella a thabhairt chun tábla sa fhriochtán (má tá sé galánta go leor!) nó é a riar ar phláta mór maisiúil.

Tartiflette

Díol ceathrair nó seisir

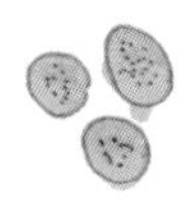
prátaí

Reblochon

ionga gairleoige

fíon geal

ola olóige

oinniún

ciúbanna pancetta

Comhábhair

práta mór x6
oinniún x2
ionga gairleoige x3
cáis Reblochon bheag (240g)
ciúbanna pancetta nó bagúin (120g)
ola olóige
fíon geal (50ml)

Gluais

bruite: cooked
teann: firm
leathchiorcail: semi-circles
mar aon le: along with
bog: soft
coinnigh: maintain
taobh fliuch: moist side
bun na méise gratin: the base of the gratin dish
cuid acu: some of them
socraigh sraith eile: arrange another layer
coinnigh ort: keep going
críochanigh le: finish with
riachtanach: is a must
trom: rich

Modh

Cuir síos na prátaí. Fág iad go mbeidh siad bruite ach fós teann. Cuir braon beag ola olóige sa fhriochtán, gearr na hoinniúin ina leathchiorcail agus cuir sa fhriochtán iad mar aon le 2 ionga gairleoige mhionghearrtha. Ansin cuir isteach an pancetta/bagún. Nuair a bheas na hoinniúin agus an pancetta donnaithe, doirt isteach an fíon geal agus bruith go ceann 7–8 nóiméad eile iad. Déan an tríú hionga gairleoige a ghearradh ina dhá leath agus cuimil mias gratin leis an dá thaobh fhliucha.
Gearr na prátaí ina slisíní tuairim is 4mm ar tiús agus clúdaigh bun na méise gratin le cuid acu. Ansin cuir pancetta/bagún agus oinniúin ar bharr na bprátaí agus croith piobar orthu (ní bhacaim le salann mar go mbíonn an pancetta saillte). Socraigh sraith eile de phrátaí ar a bharr sin, sraith eile de pancetta/bagún, oinniúin agus piobar ar bharr na bprátaí agus coinnigh ort go mbeidh gach rud curtha isteach sa mhias. Críochnaigh le sraith de phrátaí.

Anois gearr an craiceann de bun an Reblochon (ná bain den chraiceann ar na taobhanna ná ar an bharr). Más mias gratin chúng dhomhain atá ann, cuir an cháis ina píosa iomlán ar bharr na bprátaí. Ach más mias measartha leathan í, is féidir an cháis a stróiceadh agus a scaipeadh ar bharr na bprátaí.
Ar deireadh, cuir an tartiflette san oigheann ar feadh 20 nóiméad @180°C.

Tá fíon geal nó dearg agus sailéad glas riachtanach leis seo toisc an tartiflette a bheith trom.

PRÍOMHCHÚRSAÍ – IASC

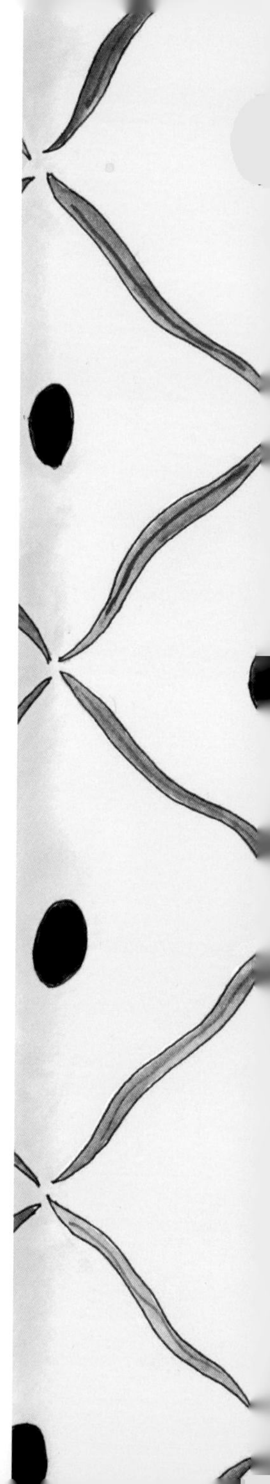

Coquilles St Jacques

Díol ceathrair

muirín

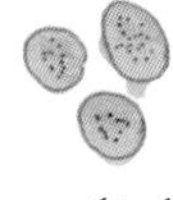

prátaí

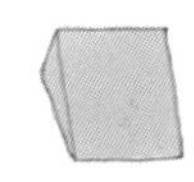

cáis

Comhábhair

muiríní (200g)
brúitín (práta mór x6)
cáis Gruyère
anlann bán
lus mín

Modh

Beidh 8 mias de dhíth ort, dhá cheann an duine.
Is cóir na prátaí agus an t-anlann ban (féach lch 79) a ullmhú ar dtús.

Roinn na muiríní ar na miasa. Blaistigh le salann, piobar agus lus mín iad.

Doirt an t-anlann bán ar bharr na muiríní.

Cuir brúitín thart ar imeall na méise (bain úsáid as mála reoáin, más féidir). Grátáil an Gruyère ar an bharr agus cuir isteach san oigheann iad @180°C ar feadh 25 nóiméad nó go dtí go mbeidh dath donn orthu.

Gluais

brúitín: mashed potatoes
anlann bán: white sauce
lus mín: dill
imeall na méise: the edge of the dish
mala reoáin: piping bag
trosc deataithe: smoked cod
réamhdhéanta: ready made
blaoscanna: shells
fochupáin: saucers

Tá siad seo deas le pónairí Francacha le him agus gairleog orthu agus le sailéad measctha nó sailéad glas.
Is féidir trosc deataithe nó cloicheáin a úsáid mura dtig leat muiríní a fháil.
Is féidir an brúitín a cheannach réamhdhéanta má bhíonn tú faoi bhrú. Ceannaigh an cineál atá gan im gan uachtar.
Tig leat na blaoscanna ó na muiríní a úsáid mar mhiasa.
Fochupáin an rud is fearr mura bhfuil na blaoscanna agat.

Diúiliciní & Sceallóga

Díol ceathrair

diúiliciní *seallóid* *fíon geal*

Comhábhair

diúiliciní (2kg)
seallóid mhionghearrtha x3
fíon geal (120ml)
peirsil mhionghearrtha
sceallóga reoite

Modh

Nigh na diúiliciní go cúramach. Má bhíonn diúilicín ar bith ann nach ndruideann nuair a bhuaileann tú é, fág ar leataobh é.
Cuir na sceallóga san oigheann anois.

Cuir na diúiliciní isteach i bpota mór, doirt 120ml d'fhíon geal orthu agus cuir isteach na seallóidí mionghearrtha.
Cuir clár ar an phota agus cuir teas ard faoi.
Croith an pota agus amharc isteach gach 5 nóiméad.
Ba cheart go mbeadh siad réidh (i.e. oscailte) i ndiaidh 12 nóiméad.

Cuir isteach an pheirsil agus measc gach rud le spúnóg mhór.
Roinn ar 4 bhabhla iad agus cuir na sceallóga amach ar phlátaí.
Caith amach diúilicín ar bith nár oscail.

Gluais

nigh: wash
nach ndruideann: that doesn't close
fág ar leataobh: leave aside
seallóid: shallot
croith: shake
peirsil: parsley
nár oscail: that didn't open

Doingean & Lintilí Puy

Díol beirte

Comhábhair

lintilí Puy (40g)
filléad doingin x2
sillí dearg gan síolta x1
oinniún dearg x¼
tráta mór x1
duilleoga lus an choire (spbh x2)
ola olóige (tsp x1)
líoma x2
im

Gluais

ní gá: there is no need
ar maos: to soak
sruthlaigh: rinse
sconna: tap
criathar: sieve
fiuchphointe: boiling point
bain an craiceann: skin
duilleog lus an choire: coriander leaf
déan ... a shuaitheadh: stir
ar leataobh; to one side
gríoscán: grill
bealaigh: baste
craiceann faoi: skin side under

Modh

Ullmhaigh na lintilí ar dtús. Sruthlaigh faoin sconna i gcriathar iad. Amharc go cúramach ar eagla cloch bheag a bheith ina measc. Ansin, cuir isteach i sáspan le 125ml d'uisce goirt iad. Déan iad a théamh chuig an fhiuchphointe, ísligh an teas, cuir clár ar an phota agus fág ar suanbhruith iad ar feadh 30 nóiméad nó go dtí go mbeidh siad bog.
Bain an craiceann den tráta. Bain amach na síolta agus gearr ina chiúbanna beaga é. Ina dhiaidh sin, mionghearr an sillí, an t-oinniún agus lus an choire.

Agus na lintilí cócaráilte, cuir i mbabhla agus measc le sú líoma (líoma x1) agus an ola olóige iad. Cuir isteach salann agus piobar agus na comhábhair eile. Déan an t-iomlán a shuaitheadh go maith agus ansin cuir i leataobh iad go mbeidh na héisc réidh.
Socraigh an gríoscán ag an teas is airde ar feadh 10 nóiméad ar a laghad.
Clúdaigh tráidire bácála le scragall alúmanaim.
Bealaigh gach doingean ar an dá thaobh le him agus cuir ar an tráidire é, craiceann faoi. Déan iad a bhlaistiú le salann agus piobar agus cuir faoin ghríoscán iad ar feadh 5–6 nóiméad. Tiontaigh i ndiaidh 3 nóiméad iad.
Roinn na lintilí ar dhá phláta agus cuir an t-iasc ar bharr na lintilí. Cuir ¼ líoma ar imeall gach pláta.

Is féidir lintilí Puy a cheannach i gcanna, i mbosca nó i bpaicéad. Ní gá iad a chur ar maos in uisce roimh ré don oideas seo.

Doingean san Oigheann

Díol ceathrair

doingean

líomóid

fíon geal

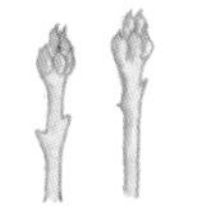
asparagas

pónairí mín

pancetta

basal

Comhábhair

filléad doingin x4
sú líomóide (líomóid x2)
fíon geal tirim (gloine amháin)
im
asparagas (200g)
pónairí mín (200g)
slisín pancetta x8
prátaí beaga (1kg)
ola olóige
basal

Gluais

doingean: sea bass
craiceann grátáilte: zest
cuimil: press and rub
basal: basil
bain...amach: remove
luibheanna: herbs
déan 8 gcuid díobh: divide them into 8
fill: wrap
ar dhath an óir: a golden colour

Modh

Socraigh an t-oigheann ag an teas is airde, 230˚C ar a laghad.
Cuir na doingin isteach i mála mór reoiteora mar aon le braon ola olóige, sú líomóide (líomóid x1) agus craiceann grátáilte na líomóide. Cuimil an mála go séimh le do mhéara leis an bhlastán a mheascadh agus fág ina shuí ar feadh 10 nóiméad é.
Cuir síos sáspan uisce, bain gail as agus bruith an t-asparagas agus na pónairí san uisce ar feadh 2–3 nóiméad. Cuir na prátaí in uisce lena mbruith ag an am seo chomh maith.
Cuir duilleoga basal isteach sa mhoirtéar mar aon le sú líomóide (líomóid x1) agus a chóimhéid d'ola olóige. Déan an t-iomlán a bhrú leis an tuairgnín agus cuir isteach i mias gratin é.
Bain na glasraí amach as an uisce agus tiontaigh sa mhias gratin iad.
Déan cuntas ar an asparagas agus ar na pónairí, déan 8 gcuid díobh agus fill slisín pancetta ar gach cuid acu.
Cuir na filléid doingin sa mhias gratin, cuir craiceann grátáilte líomóide isteach chomh maith le duilleoga mionghearrtha miontais nó basal agus an fíon geal. Ansin cuir an mhias gratin isteach san oigheann ar feadh 10 nóiméad (fág an teas ag 230˚C) go dtí go mbeidh an t-iasc agus an pancetta ar dhath an óir.
Cuir cúpla píosa ime sa mhias gratin agus measc isteach sa sú iad.
Dáil an t-iasc agus na glasraí agus bíodh prátaí bruite agus sailéad glas agat ar an tábla chomh maith.

Is fearr filléid doingin gan chnámha gan ghainní a cheannach.

Bradán Furasta

Díol ceathrair

bradán | *duilleoga labhrais* | *baie rose* | *ola olóige* | *im*

Comhábhair

filléad bradáin x4
duilleog labhrais x4
baie rose x20
ola olóige
im

Modh

Gearr amach 4 chearnóg de scragall alúmanaim agus doirt braon ola ar achan cheann acu. Cuir filléad bradáin ar gach cearnóg acu agus déan an bradán a bhlaistiú le salann, piobar, braonta ola olóige agus daba an-bheag ime.

Cuir duilleog labhrais agus 4 nó 5 de baies roses ar bharr gach filléid.
Druid an scragall alúmanaim le 4 bheart bheaga a dhéanamh.
Ná druid go daingean é, fág rud beag aeir ann.

Cuir ar thráidire éadomhain san oigheann @180°C ar feadh 25 nóiméad iad.

Gluais

scragall alúmanaim:
aluminium foil
déan an bradán a bhlaistiú:
season the salmon
duilleog labhrais: bay leaf
brúitín: mashed potatoes

Tá sé seo deas le brúitín nó champ agus le glasraí glasa nó sailéad. Tig leat é a ithe fuar le sailéad prátaí agus sailéad measctha. Is féidir breac geal nó trosc a úsáid in áit an bhradáin.

Bradán le Pancetta

Díol ceathrair

bradán

pancetta

ola olóige

Comhábhair

filléad bradáin x4
slisín pancetta x4
ola olóige

Modh

Gearr amach 4 chearnóg de scragall alúmanaim agus doirt braon ola olóige ar gach ceann acu.
Croith salann agus piobar ar na filléid bhradáin.

Déan an pancetta a fhilleadh ar an bhradán agus cuir gach píosa ar chearnóg scragaill.
Cuir braon ola orthu agus druid an scragall alúmanaim le 4 bheart bheaga a dhéanamh. Ná druid go daingean é, fág rud beag aeir ann.

Cuir ar thráidire éadomhain san oigheann @180°C ar feadh 25 nóiméad iad.

Gluais

cearnóg: square
scragall alúmanaim: aluminium foil
croith: shake
déan ... a fhilleadh: wrap
tráidire éadomhain: a shallow tray
brúitín: mashed potatoes
prátaí úra bruite: boiled new potatoes

Tá sé seo deas le glasraí glasa (pónairí Francacha, spionáiste, asparagas nó brocailí), brúitín, champ nó prátaí úra bruite. Tig leat é a chur ar bharr Risi e Bisi chomh maith. Is féidir breac geal nó trosc a úsáid más mian leat agus liamhás Parma a bheith ann mar rogha ar an pancetta.

Pióg Éisc

Díol ceathrair nó seisir

		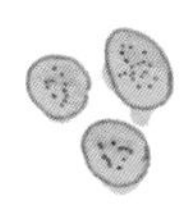				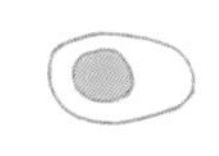
trosc	*cloicheán*	*prátaí*	*oinniún*	*ológa*	*cáis*	*ubh bhruite*

Comhábhair

prráta x7 (Maris Piper)
ubh bhruite x4
anlann bán
trosc (800g–1kg)
cloicheáin (200g)
oinniún mór x2
ionga gairleoige
ológ dhubh x20
cáis chéadair nó Gruyère
lus mín (tirim nó úr)

Gluais

lus mín: dill
bruith: boil
anlann bán: white sauce
mias gratin: gratin dish
líne: line
ina bhforluí: overlapping
déan ... a bhlaistiú: season
spréigh: scatter
clúdaigh: cover

Modh

Bruith na prátaí agus na huibheacha.
Ullmhaigh an t-anlann bán (féach lch 79).
Gearr an trosc ina chiúbanna 2cm. Gearr na prátaí, na hoinniúin agus na huibheacha ina slisíní 1cm.
Gearr ionga gairleoige agus cuimil an taobh istigh de mhias gratin léi.

Ag tosú ag taobh clé na méise gratin, leag síos líne de shlisíní prátaí, iad ina bhforluí ar a chéile.
Ansin, taobh leo, cuir isteach líne de shlisíní oinniúin agus uibhe agus bíodh siad seo ina bhforluí ar na prátaí. Ansin, cuir líne de phíosaí éisc ina bhforluí ar na hoinniúin agus na huibheacha.
Lean ort ar an dóigh seo go dtí go mbeidh an mhias lán.

Déan an t-iomlán a bhlaistiú le salann, piobar agus lus mín.
Spréigh na hológa thart ar an bharr.
Clúdaigh an phióg den chuid is mó le hanlann bán – ach ná bíodh sí ar snámh san anlann.

Cuir cáis ghrátáilte ar bharr na pióige agus cuir san oigheann ar feadh 30 nóiméad @180°C í nó go mbeidh an cháis ar dhath an óir.

Tá sí seo deas le sailéad glas faoi fhínéigréad (féach lch 13) agus baguette.
Is féidir bradán, tuinnín agus cloicheáin nó meascán díobh a úsáid fosta – bainim úsáid as trosc agus cloicheáin de ghnáth.

Trosc & Spionáiste

Díol ceathrair nó seisir

trosc

spionáiste

cáis

im

plúr

bainne

Comhábhair

trosc (800g–1kg)
spionáiste úr (200g)
noitmig
anlann bán
cáis chrua ar bith

Modh

Nigh an spionáiste, coinnigh sa chriathar é agus doirt uisce bruite ón chiteal ar a bharr. Fáisc an t-uisce as an spionáiste agus triomaigh é rud beag ar pháipéar cistine.

Cuir an spionáiste sa mhias gratin, grátáil noitmig ar a bharr agus croith salann agus piobar air.

Cuir an trosc ina luí ar an spionáiste agus croith salann agus piobar ar an trosc chomh maith.

Clúdaigh an t-iomlán le hanlann bán (féach lch 79), ghrátáil cáis ar a bharr agus cuir san oigheann ar feadh 25–30 nóiméad é go dtí go mbeidh an cháis donnaithe.

Gluais

nigh: wash
páipéar cistine: kitchen paper
ina luí: on top of
donnaithe: golden brown

Tá sé seo an-deas le prátaí bruite.

Trosc & Trátaí

Díol ceathrair

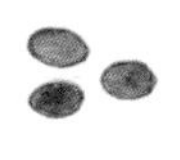

trosc *cloicheán* *trátaí* *duilleoga basal* *ológa*

Comhábhair

filléad nó dhó de throsc (800g–1kg san iomlán)
cloicheáin (200g)
ionga gairleoige x1
ológ dhubh x12
duilleog basal x9
Anlann trátaí:
trátaí úra (400g)
ainseabhaithe (60g)
caprais (tsp x2)
oinniún x1
ola olóige

Gluais

ullmhaigh: prepare
uisce bruite: boiling water
bain an craiceann: remove the skin
idir....agus: both
níos raimhre: thicker
mias gratin: gratin dish
déan ... a bhlaistiú: season
clúdach: cover
maisigh: decorate

Modh

Ullmhaigh an t-anlann trátaí ar dtús:
Cuir braon ola olóige sa fhriochtán agus cuir teas faoi.
Mionghearr an t-oinniún agus cuir sa fhriochtán é.
Cuir na trátaí i mbabhla uisce bhruite, fág ann ar feadh nóiméad iomlán iad agus ansin bain an craiceann díobh.
Déan iad a mhionghearradh agus a chur isteach sa fhriochtán.
(Is féidir canna trátaí [400g] a úsáid más fearr leat.)

Gearr na hainseabhaithe le siosúr agus cuir idir chaprais agus ainseabhaithe isteach leis na trátaí.
Measc go maith iad, cuir piobar leo agus bruith an t-anlann go dtí go n-éireoidh sé níos raimhre.

Gearr an ionga gairleoige agus cuimil an mhias gratin léi. Cuir an trosc sa mhias agus déan é a bhlaistiú le salann agus piobar. Clúdaigh an trosc leis an anlann trátaí agus scaip na cloicheáin agus ológa dubha ar an bharr.

Cuir san oigheann ar feadh 25 nóiméad @180˚C é.
Stróic na duilleoga basal ina bpíosaí agus maisigh barr na méise leo.

Tá sé seo deas le pónairí Francacha agus prátaí úra bruite.

Cloicheáin Spíosraithe

Díol ceathrair

cloicheán

oinniún

piobar

ionga gairleoige

trátaí

sinséar

spíosraí

Comhábhair

cloicheáin úra nó reoite (400g)
oinniún x1
piobar glas x1
ionga gairleoige x1
canna trátaí (200g) nó trátaí úra (225g)
*síolta cuimín (½ tsp)
*síolta lus an choire (½ tsp)
*tuirmiric (½ tsp)
*faighneog chardamaim x1
*sillí dearg x1
*sinséar fréimhe (2.5cm)
ola olóige

Gluais

síolta cuimín: cumin seeds
síolta lus an choire: coriander seeds
faighneog: pod
sinséar fréimhe: root ginger
spíosra(í): spice(s)
boladh: aroma
moirtéar: morter
tuairgnín: pestle
triomaithe: dried

Modh

Gearr an sillí go mion, bain na síolta. Grátáil an sinséar.

Cuir na spíosraí* sa fhriochtán gan ola. Déan iad a théamh go dtí go mbeidh boladh láidir ag teacht astu.
Cuir isteach i moirtéar ansin iad agus bain úsáid as an tuairgnín lena meilt.

Doirt ola olóige sa fhriochtán agus cuir teas faoi.
Déan an t-oinniún, an piobar glas agus an ghairleog a ghearradh, cuir isteach sa fhriochtán agus bruith ar feadh 5 nóiméad iad.

Cuir isteach na spíosraí ansin agus coinnigh teas faoin fhriochtán. Measc na trátaí sa chumasc agus lig dó suanbhruith ar feadh 6 nóiméad gan ligean dó fiuchadh.

Cuir isteach na cloicheáin ansin. Beidh sé réidh i gceann 5 nóiméad nuair a bheas na cloicheáin bándearg agus te.

Is féidir spíosraí triomaithe a úsáid más fearr leat: púdar sillí (¼ tsp), tuirmiric (½ tsp), sinséar (½ tsp), púdar curaí (tsp x1). Is féidir na cloicheáin a riar le rís basmati, arán naan agus sailéad nó glasraí glasa.

Tuinnín & Anlann Dearg

Díol ceathrair

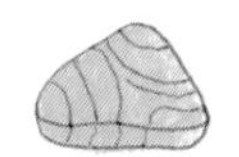

stéig thuinnín

trátaí

piobar

oinniún

ionga gairleoige

fínéagar balsamach

ainseabhaithe

Comhábhair

stéig thuinnín úir x4
im
ola olóige
Anlann dearg:
trátaí (200g)
piobar dearg x2–3
oinniún x1
ionga gairleoige x2
fínéagar balsamach (spbh x2)
filléad ainseabhaí x4
ola olóige

Gluais

ullmhaigh: prepare
tráidire bácála: baking tray
blaistigh: season
suanbhruith: simmer
leachtaigh: liquidize
clúdaigh: cover
scragall alúmanaim: aluminium foil
trosc: cod
gainneachán: roughy
eireaball anglaite: monkfish tail

Modh

Ullmhaigh an t-anlann ar dtús:
Gearr na piobair ina dhá leath. Cuir ar thráidire bácála san oigheann @200˚C iad ar feadh 30 nóiméad nó go mbeidh siad siad dubh ag an imeall. Cuir braonta ola olóige i sáspan agus cuir isteach an t-oinniún agus an ghairleog (iad mionghearrtha).
Gearr na filléid ainseabhaithe ina bpíosaí beaga le siosúr agus cuir isteach chomh maith iad. Nuair a bheas siad bog, cuir na trátaí agus na piobair mhionghearrtha leo. Blaistigh le salann agus piobar.
Lig dóibh suanbhruith ar feadh 15 nóiméad. Ansin leachtaigh an t-iomlán.
Doirt an cumasc isteach i sáspan agus cuir an fínéagar balsamach leis. Blais é agus cuir tuilleadh uisce nó fínéagair isteach go mbeidh tú sásta.
Clúdaigh mias gratin nó tráidire bácála le scragall alúmanaim agus cuimil ola air. Cuir na stéigeanna tuinnín ar an scragall agus daba ime anseo agus ansiúd orthu. Blaistigh le salann, piobar agus braon ola olóige iad.
Druid an scragall alúmanaim thart orthu. Ná druid go daingean é, fág rud beag aeir ann.
Cuir an mhias san oigheann @180˚C ar feadh 28–30 nóiméad.
Nuair a bheas an t-iasc réidh, cuir stéig ar gach pláta agus an t-anlann i mbabhla agus bíodh prátaí úra bruite agus glasraí glasa (asparagas, pónairí, piseanna, brocailí, mar shampla) réidh agat chomh maith.

Ní miste trosc, gainneachán nó eireaball anglaite a úsáid in áit an tuinnín.

4
personnes
14,00€
MOUSSE
COLAT PISTACHE
3,30 €
CHARLOTTE
AUX FRAMBOISES
3,30 €
JULIEN

IARBHÉILTE AGUS BÁCÁIL

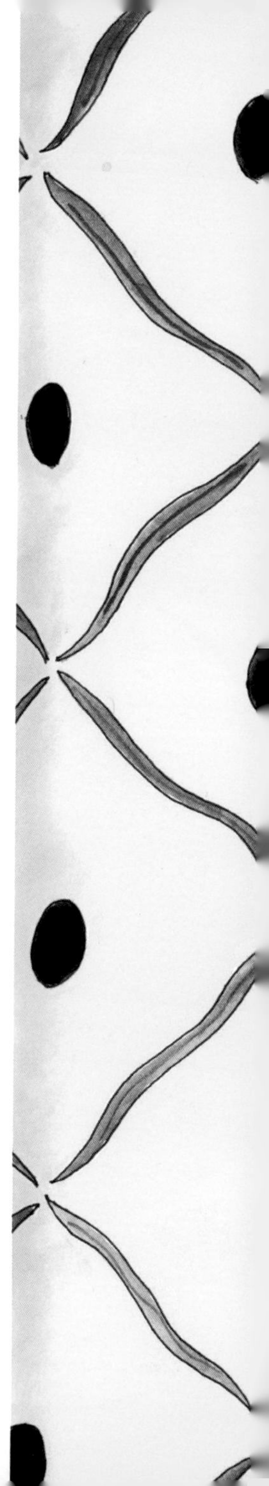

Bombe Phóil

Díol ochtair – dáréag

spúinsí traidhfile

uachtar reoite

subh

cnó piostáise

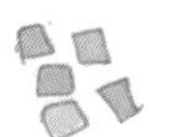

toradh glacé

silín searbh

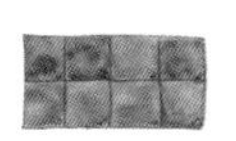

seacláid

Comhábhair

uachtar reoite (1 lítear)
spúinsí traidhfile x12–14
subh shútha craobh (spbh x2–3)
dornán cnónna piostáise (mionghearrtha)
silín searbh x8 (as canna agus gan an leacht)
silín glacé x4
toradh glacé x3
seacláid ina bhfuil íosmhéid 70% de sholaid chacó (200g)

Gluais

toilleadh: capacity
scannán cumhdaithe: cling film
líneáil: line
leath: spread
clúdaigh: cover
brúigh: push
mar mheáchan breise: as an additional weight
reoiteoir: freezer
leáigh: melt
tiontaigh bun os cionn: turn upside down

Modh

Beidh babhla mór a bhfuil toilleadh 2 lítear ann de dhíth ort.
Tóg an t-uachtar reoite amach as an reoiteoir.
Clúdaigh an taobh istigh den bhabhla le 3 shraith de scannán cumhdaithe (ceann ar bharr a chéile).
Ansin, déan an taobh istigh a líneáil le spúinsí traidhfile. Brúigh le chéile iad ionas nach mbeidh bearna ar bith le feiceáil.
Déan an tsubh shútha craobh a leathadh ar na spúinsí traidhfile.
Ansin, leath tobán amháin uachtair reoite ar bharr na suibhe.
Cuir na cnónna piostáise, na silíní agus na torthaí glacé isteach. Spréigh thart go cothrom iad.
Cuir an dara tobán uachtair reoite isteach sa bhabhla agus na spúinsí traidhfile eile ar a bharr.
Clúdaigh an babhla le scannán cumhdaithe agus cuir pláta ar a bharr.
Brúigh síos ar an phláta. (Is féidir cannaí pónairí a chur ar an phláta mar mheáchan breise!)
Ansin cuir isteach sa reoiteoir agus fág ann thar oíche é.
Nuair a bheas tú réidh leis an bombe a dháileadh, cuir uisce i sáspan ar an sorn agus bain gail as. Leáigh an tseacláid i mbabhla ar bharr an ghaluisce.
Tóg an babhla amach as an reoiteoir, bain an scannán cumhdaithe de, tiontaigh bun os cionn é agus cuir an bombe amach ar phláta.
Doirt an tseacláid leáite anuas air. Éireoidh an tseacláid fuar agus crua láithreach.
Anois tá an bombe réidh le gearradh!

Císte Líomóide

Díol ochtair

polenta

almóinní meilte

im

siúcra mionaithe

ubh

líomóid

siúcra reoáin

Comhábhair

polenta (100g)
almóinní meilte (200g)
púdar bácála x½ tsp
im bog gan salann (200g)
siúcra mionaithe (200g)
ubh x3
líomóid x2
siúcra reoáin (125g)

Gluais

almóinní meilte: ground almonds
mar aon le: along with
ag meascadh: mixing
suaith: stir
stán: tin
dromchla: surface

Modh

Cuir na comhábhair thirime seo a leanas isteach in aon bhabhla amháin: an polenta, na halmóinní meilte, an púdar bácála.
I mbabhla eile, measc an t-im agus an siúcra mionaithe le chéile le spúnóg adhmaid.

Ansin, cuir isteach 1 spúnóg bhoird de na comhábhair thirime mar aon le hubh amháin agus measc le chéile iad. Cuir isteach cúpla spúnóg bhoird eile de chomhábhair thirime agus an dara hubh. Coinnigh ort ag meascadh. Ar deireadh, cuir an tríú hubh agus an chuid eile de na comhábhair thirime isteach agus lean ort ag meascadh.
Déan craiceann an 2 líomóid a ghrátáil isteach, suaith an t-iomlán agus cuir an cumasc i stán cruinn císte.
Cuir san oigheann ar feadh 40 nóiméad @180˚C é.

Ansin:
Cuir an sú ón dá líomóid le 125g siúcra reoáin i sáspan ar an teas agus measc le chéile go maith iad.

Agus an císte réidh, tóg amach as an stán agus cuir ar phláta é. Úsáid briogún/cipín manglaim (nó píosa spaghetti!) le poill bheaga a dhéanamh i ndromchla an chíste agus ansin doirt an leacht líomóide ón sáspan air.

Toirtín Úll

Díol ceathrair, seisir nó ochtair

taosrán

úll

siúcra mionaithe

subh aibreoige

Comhábhair

puth-thaosrán réamhdhéanta (230g)
úll cócarála / úll Bramley x3
siúcra mionaithe (spbh x1)
subh aibreoige (spbh x2)
plúr bán

Modh

Déan an taosrán a rolladh ina dhronuilleog.
Cuir cumhdach éadrom de phlúr bán ar thráidire bácála agus cuir an taosrán ar an tráidire.

Le scian ghéar, gearr line éadrom sa taosrán, 1cm isteach ón imeall, an bealach uilig thart, mar a bheadh fráma pictiúir ann. (Ná gearr tríd go bun.)

Gearr na húlla cócárála ina slisíní agus cuir ina luí ar an taos go néata iad.
Measc 2 spúnóg bhoird de shubh aibreoige le spúnóg amháin uisce the.

Bain úsáid as scuab thaosráin leis na húlla a scuabadh go héadrom leis an tsubh. Scuab an fráma taois chomh maith.
Clúdaigh na húlla le brat éadrom de shiúcra mionaithe.

Cuir an toirtín san oigheann ar feadh 25 nóiméad @180°C.

Gluais

puth-thaosrán: puff pastry
réamhdhéanta: ready made
scian ghéar: a sharp knife
gearr: cut
scuab: brush
fráma: frame
clúdaigh: cover
brat éadrom: a light dusting
cainéal: cinnamon
clóibh: cloves
fanaile: vanilla

*Is féidir cainéal nó clóibh a chur ann ach ní bhacaim féin leo.
Tá an toirtín an-deas le huachtar reoite fanaile.*

Císte Uachtair Reoite

Díol ochtair

meireang

uachtar reoite

sinséar

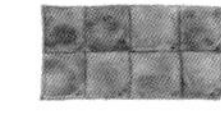
seacláid

Comhábhair

neadacha meireang ón siopa (100g)
uachtar reoite fanaile (lítear x1)
sinséar criostalaithe (tsp x2)
seacláid ina bhfuil íosmhéid 70% de sholaid chacó (200g)
stán císte 26cm nó bosca lóin plaisteach

Modh

Fág an t-uachtar reoite taobh amuigh den reoiteoir (15 nóiméad) go dtí go mbeidh sé bog.
Cuir isteach i mbabhla mór é.

Cuir isteach na meireangaí ceann i ndiaidh a chéile (bris idir do mhéara iad) agus measc leis an uachtar reoite iad.
Gearr an tseacláid ina slisíní tanaí. Cuir an tseacláid agus an sinséar leis an chumasc agus measc isteach go maith iad.

Clúdaigh an taobh istigh den stán císte le scannán cumhdaithe.
Cuir an cumasc isteach sa stán císte agus clúdaigh an barr le scannán cumhdaithe.
Cuir sa reoiteoir é go mbeidh sé reoite.

Gluais

uachtar reoite: ice-cream
bog: soft
reoiteoir: freezer
cumasc: mixture
stán císte: cake tin
scannán cumhdaithe: cling film
in ionad: instead of

Is féidir torthaí úra – sútha craobh, sútha talún, sméara dubha nó silíní – a chur isteach in ionad sinséir más fearr leat.

Granita

Díol seisir

sú talún

siúcra mionaithe

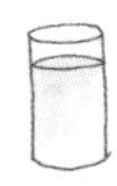

uisce

líomóid

Comhábhair

sútha talún (450g)
siúcra mionaithe (175g)
uisce (570ml)
sú líomóide (spbh x3)

Gluais

leachtaigh: liquidize
cuimil: rub
criathar níolóin: a nylon sieve
clúdach: cover
reoiteoir: freezer
foirm chriostalaithe: crystallised form

Modh

Nigh na torthaí agus cuir isteach sa leachtaitheoir iad.
I ndiaidh iad a leachtú, cuir isteach an siúcra agus leachtaigh an t-iomlán ar feadh 10 soicind. Ansin, cuir isteach an sú líomóide agus an t-uisce agus leachtaigh an cumasc ar feadh cúpla soicind eile.

Cuimil an cumasc le droim spúnóige trí chriathar níolóin isteach i mbabhla.
Ansin doirt an cumasc isteach i mbosca plaisteach, cuir clúdach ar an bhosca agus fág sa reoiteoir ar feadh 2 uair an chloig é.

Nuair a bhainfidh tú amach as an reoiteoir é, beidh an cumasc leath-reoite. Úsáid forc leis an chuid atá reoite a mheascadh leis an chuid nach bhfuil reoite agus cuir ar ais sa reoiteoir ar feadh 60 nóiméad eile é.

Déan an cumasc a mheascadh le forc arís agus cuir ar ais sa reoiteoir ar feadh 60 nóiméad eile é.
Ag an phointe seo, beidh sé réidh le hithe agus fanfaidh sé i bhfoirm chriostalaithe go ceann 3–4 uair an chloig.

Is féidir sútha craobh nó sméara dubha a úsáid in áit sútha talún.

Pavlóva

Díol ceathrair nó seisir

sú talún

sú craobh

sméar dhubh

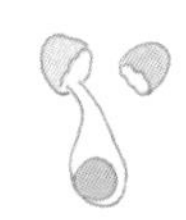

gealacán uibhe

siúcra mionaithe

uachtar

Comhábhair

gealacán uibhe x4
siúcra mionaithe (200g)
gráinnín salainn
braon fínéagair
torthaí úra (200g)
uachtar (200ml)

Gluais

gealacáin: egg whites
greadtóir balúnach: balloon whisk
ramhar: thick
stuaiceanna: peaks
corrmhéar: index finger
ordóg: thumb
déan...a mhothú: feel
righin: stiff
páipéar gréiscdhíonach: greaseproof paper
coip: whip
dromchla: surface

Modh

Socraigh an t-oigheann ag 150°C.
Scar na gealacáin ó na buíocáin agus cuir na gealacáin i mbabhla mór glan. (Coinnigh na buíocáin agus déan Pasta Carbonara leo; féach lch 59).

Gread na gealacáin le greadtóir balúnach nó le greadtóir meicniúil go dtí go mbeidh siad ramhar agus go seasfaidh siad ina stuaiceanna.
Cuir an siúcra mionaithe leo agus measc isteach go maith é. Cuimil an cumasc idir an chorrmhéar agus an ordóg agus nuair nach dtig leat na gráinní siúcra a mhothú, cuir isteach an salann agus an fínéagar.
Measc leat go dtí go mbeidh an cumasc measartha righin ramhar.
Cuir daba den chumasc mar ghliú ag na ceithre choirnéal de thráidire bácála agus greamaigh dronuilleog de páipéar gréiscdhíonach de.
Iompaigh an cumasc amach ar an tráidire agus cuimil le droim spúnóige é go dtí go mbeidh ciorcal nó ubhchruth álainn agat.
Cuir isteach san oigheann é ar feadh uair an chloig le meireang a dhéanamh de. Glac amach é agus lig dó fuarú.

Agus an meireang fuar, bain den pháipéar agus socraigh ar phláta mór é.
Coip an t-uachtar agus clúdaigh dromchla an mheireang le huachtar agus cuir na torthaí úra ina luí air.

Tiramisù

Díol ceathrair

uachtar

siúcra reoáin

mascarpone

fanaile

Marsala

espresso

méara spúinse

Comhábhair

uachtar éadrom (150ml)
siúcra reoáin (spbh x4)
mascarpone (250g)
úscra fanaile (tsp x1)
Marsala (spbh x3)
caife láidir nó espresso fuar
méara spúinse (Savoiardi) x20–24
púdar cacó

Modh

Gread an t-uachtar agus 3 spúnóg bhoird de shiúcra reoáin le chéile.
Ansin cuir an mascarpone, an fanaile agus spúnóg bhoird amháin de Marsala leis agus measc le chéile go maith iad.
Cuir spúnóg bhoird siúcra reoáin isteach sa chaife agus nuair a bheas sé measctha, cuir 2 spúnóg bhoird de Marsala leis.

Tum ceithre mhéar spúinse sa mheascán caife agus clúdaigh bun 4 ghloine leo. (Bris ina bpíosaí níos lú iad más gá.) Déan uachtar a leathadh orthu agus ansin cuir sraith eile de spúinsí tumtha ar bharr an uachtair.
Lean ort ar an dóigh seo go dtí go mbainfidh tú barr na gloine amach.

Doirt leacht caife ar bith atá fágtha ar an bharr agus spréigh púdar cacó trí chriathar ar achan mhilseog acu.
Cuir sa chuisneoir ar feadh 20 nóiméad ar a laghad iad.

Cuir méar spúinse ina seasamh iontu sula gcuirfidh tú ar an tábla iad.

Gluais

uachtar éadrom: single cream
cuir: put
measc: mix
tum: dip
déan....a leathadh: spread
sraith: layer
spréigh: dust
ar a laghad: at least

Millefeuille

Díol ceathrair

taosrán

siúcra reoáin

uachtar

siúcra mionaithe

sú craobh

sú talún

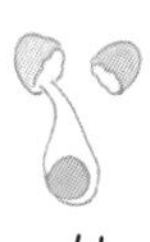
ubh

Comhábhair

puth-thaosrán ón siopa (320g)
siúcra reoáin (spbh x2)
uachtar dúbailte (200ml)
siúcra mionaithe (spbh x1)
sútha craobh (200g)
sútha talún (200g)
ubh x1
braon úscra fanaile x3
plúr bán

Gluais

siúcra reoáin: icing sugar
siúcra mionaithe: caster sugar
scuab: brush
glac amach: remove / take out
gríoscán: grill
déan an t-uachtar a choipeadh: whip the cream
úscra: essence
torthaí: fruit
an dlaoi mhullaigh: pièce de résistance/ icing on the cake / finishing touch

Modh

Déan do dhícheall an taosrán a rolladh ina chearnóg 30cm x 30cm.
Cuir ar thráidire bácála é (croith plúr ar an tráidire roimh ré). Bain úsáid as forc agus déan poill bheaga sa taosrán.
Scuab an taosrán go héadrom le hubh bhuailte agus cuir san oigheann é @220˚C, ar sheilf ard, ar feadh 10–12 nóiméad.
Coinnigh súil air!

Nuair a bheas an taosrán donn, glac amach as an oigheann é.
Gearr an taosrán ina 3 phíosa, spréigh siúcra reoáin orthu agus cuir faoin ghríoscán iad ar feadh cúpla soicind go dtí go mbeidh an siúcra caramalaithe.
Cuir an taosrán ar thráidire sreinge.
Déan an t-uachtar a choipeadh agus cuir úscra fanaile agus spúnóg bhoird de shiúcra mionaithe tríd.

Cuir an chéad phíosa taosráin ar an phláta, clúdaigh le huachtar é agus cuir torthaí ar an uachtar.
Leag an dara píosa taosráin ar na torthaí, clúdaigh le huachtar é agus cuir torthaí ar a bharr.
Cuir an tríú píosa taosráin ar bharr an iomláin.

An dlaoi mhullaigh: cuir spúnóg siúcra reoáin i gcriathar beag agus spréigh ar bharr an taosráin é.

Tig leat críochnú le torthaí nó taosrán ag an bharr – do rogha féin!

Péitseoga & Cnónna Piostáise

Díol ceathrair

Comhábhair

péitseog x4
Madeira, Marsala nó Vermouth tirim (spbh x4)
mil (spbh x4)
faighneog fanaile x1
cnónna piostáise mionghearrtha (60g, gan bhlaosc)

Modh

Socraigh an t-oigheann @200°C.
Gearr na péitseoga ina dhá leath agus bain an chloch amach. Cuir ar thráidire bácála iad, taobh gearrtha in airde.

Doirt an mhil agus an Madeira isteach i mbabhla beag. Gearr an fhaighneog fanaile agus cuir na síolta sa bhabhla mar aon leis na cnónna piostáise agus measc gach rud le chéile.

Cuir taespúnóga den chumasc isteach in achan pholl péitseoige go dtí nach mbeidh cumasc ar bith fágtha sa bhabhla. Ba cheart dromchla gach péitseoige a chlúdach leis an chumasc fosta.

Cuir san oigheann iad ar feadh 20 nóiméad nó go mbeidh siad bog agus ar dhath an óir.

Gluais

taobh gearrtha: cut side
in airde: facing upwards
faighneog fanaile: a vanilla pod
dromchla: surface

Tá siad seo an-deas le huachtar reoite fanaile, iógart nádúrtha nó mascarpone. Sílim féin gur uachtar reoite fanaile is fearr!

Praiseach Mheireang

Díol ceathrair

meireang

sú talún

coirdial

uachtar

siúcra mionaithe

Comhábhair

sútha talún (500g)
siúcra mionaithe (spbh x2)
uachtar (500ml)
neadacha meireang ón siopa x4
sú pomagránáite nó coirdial bláthanna troim (spbh x1)

Gluais

coirdial bláthanna troim: elderflower cordial
gearr ina gceathrúna: cut into quarters
déan....a choipeadh: whip
go garbh: roughly
coinnigh siar: reserve
tubaiste: disaster

Modh

Bain na duilleoga de na sútha talún agus gearr ina gceathrúna iad. Cuir i mbabhla iad mar aon leis an siúcra mionaithe agus measc leat.

Is féidir spúnóg bhoird de shú pomagránáite nó de choirdial bláthanna troim a chur isteach leis na sútha talún chomh maith.

Déan an t-uachtar a choipeadh.

Bris na meireangaí ina bpíosaí (2cm x 2cm go garbh) isteach san uachtar.

Coinnigh siar spúnóg mhór de shútha talún agus measc na sútha talún eile, na meireangaí agus an t-uachtar le chéile.

Roinn an cumasc ar 4 mhias / ghloine agus cuir na torthaí a choinnigh tú siar ar an bharr!

Déanaim é seo nuair a tharlaíonn tubaiste don mheireang faoi choinne Pavlóva. In amanna, agus mé faoi bhrú, déanaim an leagan falsa atá tugtha thuas agus bainim úsáid as neadacha meireang ón siopa!

Arán Donn (Nuala Reilly)

plúr caiscín *plúr bán*

salann

siúcra

décharbónáit sóidiam

bláthach

Comhábhair

plúr caiscín (750g)
plúr bán (spbh x2)
salann (tsp x1)
siúcra (spbh x1.5)
décharbónáit sóidiam (tsp x1.5)
bláthach (tuairim is 750ml)

Modh

Cuir an plúr caiscín i mbabhla mór.
Criathraigh an plúr bán, salann agus an décharbónáit sóidiam (sóid aráin) isteach leis. Cuir isteach an siúcra ansin.
Doirt isteach an bhláthach de réir a chéile agus measc an cumasc le spúnóg mhór mhiotail.

Nuair a bheas an taos tais teann, cuir amach ar thráidire bácála atá clúdaithe go héadrom le plúr bán é.
Déan an taos a ghearradh ina dhá leath agus bog amach óna chéile iad ar an tráidire le fairsinge a thabhairt don taos méadú.

Cuir san oigheann @200˚C ar feadh 24 nóiméad iad. (Deir Nuala Reilly nach mór fíor na croise a ghearradh ort féin agus tú á gcur san oigheann!)

Glac amach iad agus tóg leath amháin, tiontaigh bun os cionn agus buail le spúnóg é. Má bhíonn fuaim tholl ann, tá sé réidh. Mura bhfuil, tiontaigh an dá leath bun os cionn ar an tráidire agus cur ar ais san oigheann iad ar feadh 2 nóiméad eile.

Gluais

plúr caiscín: wholemeal flour
bláthach: buttermilk
doirt: pour
de réir a chéile: gradually
teann: firm
fairsinge: room
méadú: increase in size
fuaim tholl: a hollow sound

Tá an t-arán seo ar dóigh le cáis Brie, ispíní teo nó bradán deataithe!

Farlaí Sóide

Díol ceathrair

plúr bán

salann

bláthach

sóid aráin

Comhábhair

plúr bán (450g)
sóid aráin (x½ tsp)
gráinnín salainn
bláthach (200ml)

Gluais

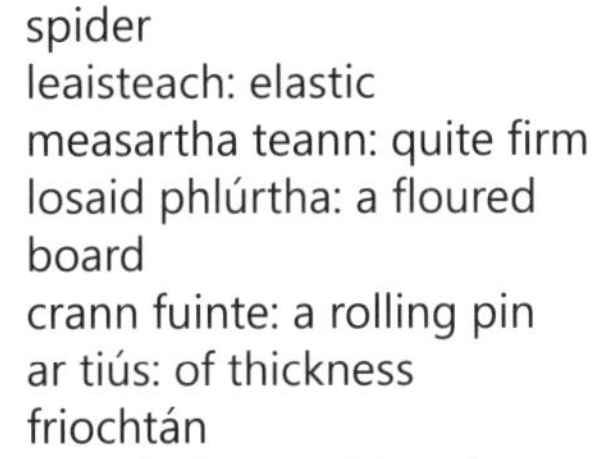

bláthach: buttermilk
crúca: hook
cosúil le damhán alla: like a spider
leaisteach: elastic
measartha teann: quite firm
losaid phlúrtha: a floured board
crann fuinte: a rolling pin
ar tiús: of thickness
friochtán neamhghreamaitheach: non-stick frying pan

Modh

Cuir an plúr bán agus an tsóid aráin isteach i mbabhla mór. Cuir salann leo.
Déan crúcaí de do mhéara (cosúil le damhán alla), doirt isteach an bhláthach de réir a chéile agus measc isteach le do lámh í (ní úsáideann tú ach an lámh amháin).

Nuair a bheas an taos leaisteach agus measartha teann, cuir amach ar losaid phlúrtha é.
Roll amach le crann fuinte é go mbeidh sé 2cm ar tiús. Bain úsáid as gearrthóir scónaí 10cm le 4 fharla a dhéanamh as an taos.

Cuir friochtán neamhghreamaitheach ar an sorn ag meánteas.
Cuir na farlaí sa fhriochtán agus tiontaigh iad i ndiaidh cúpla nóiméad.

Tiontaigh cúpla uair eile iad. Beidh siad réidh nuair a bheas siad donn agus nuair nach mbogfaidh na taobhanna má dhéanann tú a bhrú síos orthu le spadal.

Cuir ar raca sreinge iad go mbeidh siad de dhíth ort.

Is féidir iad a ithe te nó fuar le hispíní, bagún agus uibheacha nó le salami agus cáis.

Scónaí Silíní

6–8 scóna

plúr éiritheach | *im* | *silíní* | *bainne* | *salann* | *siúcra mionaithe*

Comhábhair

plúr éiritheach (225g)
im (40g)
silíní glacé (50g)
bainne (150ml)
siúcra mionaithe
(spbh x 1.5)
gráinnín salainn

Modh

Criathraigh an plúr isteach i mbabhla mór.
Cuimil an plúr agus an t-im le chéile.

Cuir isteach an siúcra, gráinnín salann agus na silíní glacé agus meascgach rud le chéile.

Doirt isteach an bainne de réir a chéile agus measc isteach le scian é. Nuair a bheas an cumasc tais teann, cuir amach ar losaid phlúrtha é.

Roll an taos go mbeidh sé 2cm ar tiús agus gearr amach na scónaí le gearrthóir scónaí 4cm.

Cuir na scónaí ar thráidire bácála ar a bhfuil cumhdach éadrom plúir. Scuab go héadrom le bainne iad agus cuir an tráidire isteach san oigheann @200°C ar feadh 12–15 nóiméad go mbeidh siad donn.

Ansin, leag amach ar raca sreinge iad le fuarú.

Gluais

éiritheach: self-raising
doirt: pour
de réir a chéile: gradually
tais: moist
teann: firm
losaid phlúrtha: a floured board
cumhdach: covering
raca sreinge: a wire cooling rack
ní mhaireann siad: they don't last

Ní mhaireann siad i bhfad agus is fearr iad a ithe an lá céanna de ghnáth mar go mbíonn siad an-bhlasta.

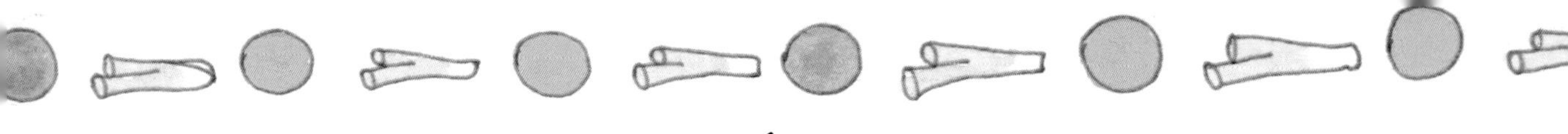

Innéacs

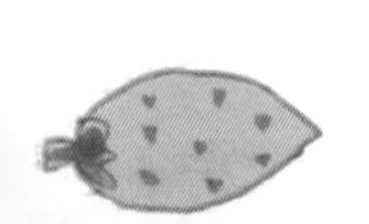

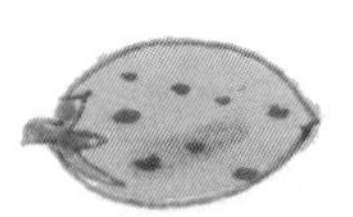

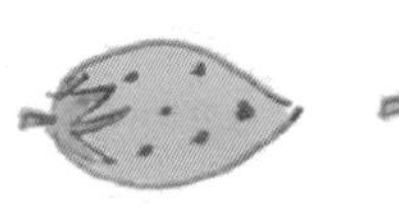